LE VOYAGE DE PATRICE PERIOT

Georges Duhamel est né à Paris en 1884. Licencié ès sciences (1908), docteur en médecine (1909), il poursuit parallèlement travaux littéraires et recherches scientifiques.

1911, il collabore au Mercure ; 1914, il est chirurgien volontaire aux armées. 1918, il reçoit le Prix Goncourt pour Civilisation. *A partir de 1920, il se consacre aux lettres — et voyage. En 1930, le Prix de l'Académie française lui est décerné pour* Scènes de la vie future.

Elu à l'Académie française en 1935, il dirige le Mercure de France de 1935 à 1939. Président de l'Alliance française en 1937, il devient membre de l'Académie de médecine la même année, de l'Académie de chirurgie en 1940, de l'Académie des sciences morales et politiques en 1942. Son œuvre est considérable : cycles romanesques, contes, essais, etc. Georges Duhamel est mort le 13 avril 1966 à Valmondois (Val-d'Oise).

Le biologiste Patrice Périot a conquis par ses travaux une notoriété qui lui vaut de compter comme « une personnalité » dont à tout propos on requiert l'appui. Conférences, signature de pétitions, on ne le laisse pas en repos. Où trouver le temps d'accomplir sa vraie tâche qui est celle d'un chercheur ? Est-il plus utile à la société en prêchant l'amour de la paix dans des réunions publiques ou en découvrant un microbe, un remède ?

Il se pose la question une fois de plus en constatant que ses « amis politiques » ont abusé de sa signature : sa gloire le dévore et sa passion de justice risque de l'entraîner dans de fâcheuses situations. Quant à ses enfants, ils ne lui causent que déceptions. Christine est une militante au cœur froid, Hervé mène une vie bizarre, le jeune Thierry nage en plein mysticisme et Edwige se noie dans un bonheur conjugal traversé d'orages.

C'est par Hervé qu'il subira l'épreuve la plus douloureuse pour un homme de son caractère. Seul, Thierry « l'apôtre » lui vient alors en aide. La foi est-elle donc l'unique recours ?

Dans le biologiste Patrice Périot, on reconnaît bien des traits qui l'identifient à Georges Duhamel et les incertitudes de ce savant de bonne volonté en prennent un accent d'autant plus pathétique que le ton garde toujours mesure et humour.

ŒUVRES DE GEORGES DUHAMEL

RÉCITS, ROMANS, VOYAGES, ESSAIS

VIE ET AVENTURES DE SALAVIN

CHRONIQUE DES PASQUIER

LUMIÈRES SUR MA VIE

CRITIQUE

THÉATRE

POÉSIE

Dans Le Livre de Poche :

GEORGES DUHAMEL

de l'Académie française

Le voyage
de Patrice Périot

ROMAN

MERCURE DE FRANCE

CHAPITRE PREMIER

CE n'est pas le silence de l'éternité, c'est le tumulte d'un orage de montagne, c'est le grondement d'un torrent gonflé par les pluies, c'est la rumeur d'une multitude en marche, c'est le fracas d'un combat qui règne en ce lieu du perpétuel repos. Les morts de Paris doivent avoir le sommeil coriace pour goûter quelque paix dans cette retraite investie. De toutes parts, la vie s'est établie et marque jalousement ses positions. Les maisons au regard béant veillent de l'autre côté des murailles et considèrent avec une curiosité revendicatrice un petit pentagone de terre où les sépultures sont serrées comme des caisses dans un entrepôt. Au nord, un hôpital est séparé du cimetière par une rue miraculeusement calme, qui semble s'insinuer, faille symbolique, entre l'espérance et l'irrévocable. Des voies sans gloire, bordées d'hôtels assoupis, ou de marchands d'escargots, portent l'enseigne d'artistes méconnus, de banquiers déconfits. Joseph de Maistre, toutefois, s'efforce de faire contrepoids à quelque Hégésippe Moreau. Les forains de ces boulevards que l'on disait autrefois extérieurs ont remisé sur le trottoir, contre les murs de l'enclos funéraire, des camions au fronton desquels on voit la femme serpent ou le portrait d'un dompteur célèbre. Parfois un autobus s'élance, dévalant la pente de la colline, et les pigeons de la chaussée prennent l'essor à la suprême seconde, car ils ont appris à gagner de vitesse l'adversaire mécanisé.

Vers le sud, à l'endroit même où le cimetière semble grimper marche par marche sur la colline, l'offensive de la vie est plus pressante et même sans merci. La rue dite de Caulaincourt saute d'un bond par-dessus les tombes, les allées désolées, les monuments biscornus et les bouquets pourrissants. Le bruit des trompes, des klaxons, des moteurs s'élève en cet endroit jusqu'aux frontières de l'absurde. Deux ruisseaux de piétons longent peureusement les trottoirs. C'est là que le cimetière s'ouvre sur le néant de la vie. C'est là qu'il a sa porte unique, celle des corbillards et celle des visiteurs. L'avenue sans issue qui vient mourir en ce lieu déconcertant est un des réduits les plus étranges de Paris : on y vend des fleurs de matière plastique, des repas, des monuments funéraires et du plaisir équivoque. Les cabarets de nuit s'éveillent tard, avec leurs lumières voilées et leurs odeurs d'eau-de-vie, dans l'estuaire même de la mort. Le jour, le pavé est couvert de voitures en garage, car là place est rare dans ce quartier encombré. Sur le bitume des trottoirs, des peintres exposent en plein air des tableaux dont ils sont peut-être les auteurs responsables : bouquets explosifs, paysages pour couloirs de lupanar et nus féminins dont la roseur confite fait songer à quelque horrible sorbet. Enfin l'avenue s'épanche, à gueule ouverte, sur le boulevard ivre de bruit, de mouvement, d'on ne sait quelle avide et sombre fureur. La grand'ville semble affirmer, confirmer, hurler sa puissance très périssable.

Voilà ce que l'homme pensait, alors que, le feutre noir en main, ses rudes cheveux gris, semblables à une végétation farouche, abandonnés aux remous du vent, il piétinait devant un tombeau que la mousse commençait de cerner. C'était une de ces spacieuses sépul-

tures familiales où, de lustre en lustre, les places sont
âprement réclamées et prises. Une huitaine d'inscriptions couvraient la stèle. La dernière, la plus lisible,
devait remonter à quelques années. Elle disait que
Clotilde Périot, née Demoncelle en 1882, avait été
inhumée là en 1943.

Depuis dix minutes peut-être, Patrice Périot allait
et venait autour de la pierre. Il avait tiré de côté une
touffe de bruyère, morte de sécheresse dans son pot;
il avait, de la main, chassé des feuilles mortes, apportées
là par les bourrasques. Du pouce et de l'index, il remit
en équilibre quelques belles tulipes, témoignage de sa
dernière visite, et il se tint debout devant la pierre.
Alors il pensa, et sa pensée allait presque au murmure :
« Voici le moment de la méditation. » Au long d'une
vie tout entière dévouée à la connaissance, au travail
de l'esprit, à la recherche, à la découverte, il avait
accoutumé de tout prendre avec méthode, même le chagrin, même le plaisir. Bien qu'il ne parlât presque jamais,
par prudence, de ces choses très intimes, il possédait,
mais se gardait bien d'enseigner, ce qu'il appelait précisément des règles personnelles. Il distinguait, par
discipline, la règle de la méditation, la règle du travail,
la règle du sommeil. Il appliquait aussi, non sans
innocence, d'autres règles à d'autres fonctions de la vie,
et il demeurait persuadé, quand il était saisi, à la fin
de la journée, par une crampe d'estomac, qu'il avait
dû contrevenir, sous l'effet d'une distraction sans nul
doute, aux justes règles du manger et du boire.

Il fit donc plusieurs inspirations profondes, car il
avait observé que cette pratique amenait le repos des
muscles et le préparait à la réflexion. En fait, sa
pensée commençait de s'orienter, non sans faux pas,
non sans hésitations. « Les croyants ont de la chance,
rêvait-il ainsi. Leur discipline est somme toute excellente. Ils répètent une prière qu'ils ont récitée mille fois.

et, pendant qu'ils occupent ainsi les muscles et les régions superficielles de l'intelligence, ils parviennent parfois à libérer l'âme, enfin, je veux dire cette faculté qui n'est pas une faculté, cette réalité indéfinissable qui forme le centre immatériel de l'individu, le noyau de l'être... Ma pauvre Clotilde! Comme elle était inquiète, comme elle avait, elle si simple, une profonde vertu de divination. Comme elle serait tourmentée aujourd'hui, si, vivante, à mon côté, elle regardait ces enfants incompréhensibles! Jamais elle n'aurait accepté d'appeler Véra sa petite Christine. Je suis tolérant, tolérant, mais tout cela est absurde. Je n'ose pas même penser ici à Hervé! Il me torture, notre Hervé. Plus cruellement encore qu'Edwige, et ce n'est pas peu dire. Thierry est un saint, c'est du moins ce qu'affirme Cazenave, dans ce bel article à mon avis bien imprudent. Mais, vrai, si les saints sont de cet acabit, ce ne sont pas des gens faciles à vivre... Acabit, acabit... Il faudra que je demande à Cauchois d'où peut bien venir le mot acabit. Les trois petits sont délicieux, délicieux, bien qu'ils soient mal élevés. Si seulement je pouvais marier Christine... Jamais je ne pourrai l'appeler Véra... Ma pauvre Clotilde! Elle me disait toujours de penser à elle, s'il m'arrivait d'être dans l'embarras. Je pense à elle. Je viens deux fois par mois lui rendre cette sorte de visite. Je pense à elle chaque jour et je ne vois pas clairement ce que je voudrais appeler les solutions, oui, les solutions... Ce Gérin-Labrit est un homme remarquable, et pourtant il me fatigue, il me... il me... comment dire? Il m'oblige, dès que je le vois, à serrer les mâchoires. Mais il faut que je travaille, il faut surtout qu'on me laisse travailler. Entre Gérin-Labrit et Schlemer, c'est Schlemer que j'aime le mieux. Il est plus près de mon esprit. Je parle de l'esprit, je parle de l'âme... Comment s'y prendre pour manier de tels mots avec prudence? Ma pauvre

Clotilde! Ils disent, les cardiologues : « Infarctus du myocarde. » Quand j'étais jeune, on disait endartérite ou coronarite, je ne sais plus. Tout cela change si vite. Il n'y a que la mort qui ne change pas, en médecine. Surtout, surtout, ne laissons pas divaguer l'imagination. Ne pas s'aviser de penser au corps de ma pauvre Clotilde, à ce que peut bien être devenu le corps de Clotilde, ce corps qui est là, près de moi, à deux mètres de moi, peut-être. Non! Non! J'aime encore mieux penser à mon petit enragé de saint, à mon Thierry. Et maintenant, allons-nous-en! Il faut quand même que je puisse travailler. Si cela continue je serai très exactement un homme surmené, mais qui ne fait plus rien, qui ne peut plus rien faire. Ah! Et puis, je dois voir le courrier, ce soir. Liquider le courrier, à tout prix! Et puis, écrire le discours pour la cérémonie de mercredi prochain. La paix? La paix? Est-ce qu'il y a des aliénés pour ne pas vouloir la paix? Mais, au fait, quelle heure est-il? Cinq heures? ou est-ce ma montre qui marche mal? Au revoir, chère Clotilde, et pardon de toutes ces distractions! Même en observant la règle, on ne peut éviter la distraction. »

Patrice Périot fit deux pas à reculons, secoua la tête en signe d'amitié, tourna le dos et se mit en marche, conservant à la main ce petit feutre rond, noir et léger qu'il portait encore, comme les savants de son jeune temps, et cherchant, en vain, d'un doigt tâtonnant, les boutonnières de son paletot.

Pour atteindre le pont, Patrice Périot, au sortir du cimetière, prit l'escalier tournant qui part sur la droite. Avec innocence, des enfants, à cheval sur la rampe médiane, et bien qu'elle fût sagement interrompue, s'exerçaient à la glissade. Le promeneur atteignit quand même le trottoir et n'osa traverser tout de suite la chaussée que la pluie du matin avait rendue gluante. Il remonta donc l'étrange pont incliné jusqu'au carrefour où, d'ordinaire, l'hésitation s'emparait de lui. Allait-il, pour atteindre la rue Lamarck au lieu même où s'élevait sa maison, prendre la rue Caulaincourt ou la rue Damrémont? Et Patrice Périot opta pour la rue Damrémont, soudainement, en murmurant : « Il y a des moments où le déterminisme a toutes les grâces du hasard. » Il s'engagea donc sur la chaussée et fit une tentative, qu'il eut le temps de juger lui-même absurde, pour apercevoir, là-bas, là-bas, par-dessus le parapet, dans la fosse aux morts, l'endroit où se trouvait approximativement la tombe de famille. Cette bonne pensée faillit lui coûter l'existence. Un taxi le frôla et l'évita non sans peine. Il eut le temps d'entendre le chauffeur gronder d'une voix juteuse : « Allons, allons, l'andouille! » Il pensa, presque malgré lui : « Un membre de l'Institut! Vrai! traiter d'andouille un membre de l'Institut! » A peine ébauchée cette protestation, il se prit à rire de ce qu'il appela tout aussitôt sa niaiserie. Il rit et faillit disparaître sous un énorme camion qui dévalait la pente avec la souveraine brutalité de l'animal protégé par sa masse. Patrice Périot sentit les poils se redresser tout le long de sa main droite qui était nue. Il sauta sur le trottoir comme sur un lieu d'asile et commença de longer la rue Damrémont, lentement, par la droite. Il monologuait, à son ordinaire, sur les thèmes qu'il appelait « les thèmes de l'évidence » et dont la vertu principale, à son estime, était de soulager l'être sans exiger aucun effort d'invention. Il disait, par exemple : « La rêverie devient impossible, pour le flâneur parisien. Que peut donner une civilisation où la rêverie est impossible? »

Un peu plus tard, comprenant qu'il approchait du lieu de ses soucis ordinaires, il murmura : « Au fond, je voudrais bien mourir. Ils se débrouilleraient un peu, ils se débrouilleraient seuls, mes chers enfants... Après tout, c'est bien leur tour de se débrouiller. » Il fit quelques pas et pensa : « Ils ont quand même encore besoin de moi. Le petit saint, par exemple, plus encore que l'autre, le fou, plus encore que les trois autres. » En arrivant à l'angle de la rue Lamarck, il haussa les épaules et dit, tout haut, pour se donner courage : « C'est toujours comme cela quand je sors de ce cimetière. Dans un moment, j'irai mieux. Et puis, ça ne dépend pas de moi. »

Patrice Périot habitait, depuis plus de vingt années, un appartement spacieux, au quatrième étage d'une maison de bonne apparence, construite sur le trottoir septentrional de la rue, en sorte que, dès le milieu de la matinée, le soleil illuminait la majeure partie des chambres. Périot, alors que ses premiers enfants étaient encore petits, avait obtenu de louer les deux appartements qui se trouvaient côte à côte, et d'ouvrir, entre les deux, une porte. Par la suite, on lui avait, à maintes reprises, conseillé d'émigrer sur la rive gauche, afin de se trouver dans le rayonnement de la Sorbonne, à proximité de son laboratoire. Il avait refusé, pour des raisons qu'il ne jugeait pas excellentes et dont il souriait volontiers : « Non! Non! disait-il. Le climat de Montmartre est salubre, et puis, pour un physiologiste, Lamarck est un patron honorable, un peu démodé sans doute, mais honorable. » Il disait encore, et le sourire disparaissait de son visage : « Ce temps que je passe à traverser Paris, c'est du temps bien employé, du temps donné à la réflexion, du temps perdu; autrement dit du temps gagné. » S'il se trouvait avec un vieil ami, avec un de ces amis auxquels on dit toute sa pensée et même un peu davantage, il ajoutait : « Dès que je sors de chez moi, je tombe dans ces rues pleines de ce qu'on nomme le petit peuple. Je marche et je prête l'oreille. Je plains les gens qui n'écoutent jamais le petit peuple des quartiers laborieux. » Un dernier silence passait et alors le savant murmurait d'une voix à peine perceptible : « J'ai été heureux dans cette maison. Assurément, le bonheur n'a pas duré, il ne dure jamais. Quand même, il me semble que si j'allais m'installer ailleurs, à mon âge, ce serait trahir, oui, trahir le bonheur et même le chagrin. Et puis, je serai bientôt à la retraite. C'est absurde : je suis vigoureux. Je n'ai jamais si bien travaillé. Mais je serai quand même à la retraite. »

Patrice Périot fit quelques pas, leva les yeux et sourit. Dans l'ouverture de la rue, dans le ciel, sur le fond blafard des nuages, un objet que le contre-jour rendait mal distinct passait lentement, non point comme un oiseau, mais comme une minuscule benne aérienne au-dessus d'une vallée. En clignant fortement les paupières, on apercevait un double câble, tendu dans l'espace, entre les deux rives de la rue. Patrice Périot haussa les épaules et continua de sourire, malgré qu'il en eût, car il arrivait devant sa porte et s'occupait, comme d'ordinaire, à rectifier ses traits, à les remettre en ordre.

« Monsieur le professeur, dit la concierge, surgie soudain des profondeurs de sa retraite, il est encore venu, ce matin, un flic, enfin, je veux dire un agent, à propos du transbordeur. C'était un tout jeune qui ne savait pas. Je lui ai dit que M. Bouriette avait parlé pour vous au préfet, que le commissaire était d'accord pour fermer les yeux et que ça durerait comme ça jusqu'au moment où votre fille d'en face aurait le téléphone. Il était frappé, je vous assure. Il est parti sans rien dire. Oh! il reviendra. Ils reviennent toutes les semaines. Il reviendra et ce ne sera pas le même, naturellement. »

Patrice Périot remercia d'un mot cette personne diligente, fit le geste de soulever son chapeau ou même de donner sa bénédiction, — on n'aurait pu dire — et commença de gravir l'escalier.

Il lui parut d'abord qu'un beau silence régnait dans l'appartement. Puis, cependant qu'il mettait son feutre et son pardessus à la patère, il entendit un murmure cristallin, musical sortir d'une des chambres qui donnaient vers le nord, une de ces chambres d'où l'on découvrait la laborieuse banlieue parisienne, celle de Clichy, de Saint-Ouen, de Saint-Denis. C'était la chambre de Thierry, le plus jeune des garçons, celui que Patrice appelait le petit saint. Ce bruit léger, aérien, n'était pas une chanson, mais plutôt le bruit d'une fine clochette sous les voûtes d'une église. Et pourtant, à certains accents, on reconnaissait une voix humaine, une voix enfantine ou, plus justement, angélique.

« Qu'a-t-il encore pu inventer? » songea Patrice.

Et, tout de suite, il poussa la porte, aussi doucement que possible.

Le milieu de la chambre était libre de meubles et couvert d'un tapis quelque peu râpé. Une petite fille à grandes boucles d'or était agenouillée au centre du tapis et, près d'elle, à genoux aussi, se trouvait Thierry. Il avait le visage extasié, ensoleillé, fendu par un sourire de bonheur. On voyait remuer ses lèvres comme s'il eût pu, de cette façon, aider la jeune récitante. Car la fillette récitait, d'une voix à peine distincte. Elle disait :

Où est le bon Zésus?
Il est dans mon cœur.
Qui est-ce qui l'y a mis?
C'est la graisse.
Qui est-ce qui l'a ôté?
C'est le péssé.
Maudit péssé qui a ôté le bon Zésus de mon cœur!

Revenez! Revenez, mon doux Zésus,
Dans mon cœur.
Mon cœur ne pessera plus.
Au nom du Père, du Fils...

La prière terminée, le signe de la croix fait, et non sans hésitation sur la droite et sur la gauche, Thierry se leva d'un bond, vit son père, se jeta vers lui les bras ouverts et se prit à crier :

« C'est admirable! Admirable! Tu as entendu, papa...

— Oui, oui, dit Patrice, l'air perplexe.

— Et tu ne trouves pas que c'est admirable!

— Je trouve que c'est, comment te dire... charmant. Ne pourrais-tu pas, pendant que tu y es, t'occuper aussi de la prononciation? Elle dit la graisse pour dire, je suppose, la grâce... Soigner la prononciation, cela ne nuit pas aux idées. »

Thierry levait les bras au ciel!

« Les idées! Les idées! Mais, papa, il ne s'agit pas d'idées. Je ne pense qu'à cette petite âme merveilleuse, à la ferveur, à la pureté. La prononciation, comme tu dis, on en parlera plus tard.

— Es-tu bien sûr que notre petite Jeanne comprenne quoi que ce soit à ce que tu lui fais dire ou faire?

— Oh! papa, s'écria Thierry dont le visage exprimait une réprobation navrée. Il n'y a pas à comprendre, surtout pour l'instant. D'ailleurs ce n'est pas moi qui lui ai appris cette petite prière, et je le regrette. Ce doit être la femme du jardinier, à Jouy-le-Comte, ou une paysanne de là-bas. Mais c'est quand même admirable. J'ai entendu, cet après-midi, une leçon de Vigroux, sur l'atome. Tu vois, l'atome! Eh bien, je suis sûr que Vigroux ne comprend rien à l'atome et que tout ce qu'il nous a dit ne signifiera plus rien dans vingt ans. N'importe! je suis quand même les cours de Vigroux. Comprendre! comprendre! Ah! papa! Tu m'épouvantes, parfois... »

Patrice Périot se prit à rire et dit encore :

« As-tu parlé de cette fantaisie, je veux dire de cette tentative, enfin, ne te mets pas en colère...

— Avec toi, papa, je ne me mettrai jamais en colère. Tu es un homme de bonne foi.

— Merci, mon garçon. C'est un certificat. C'est tout au moins un de ces mots généreux auxquels je ne suis pas habitué. Merci. As-tu parlé de cette ébauche d'instruction religieuse à ta sœur Edwige? »

Thierry fronçait les sourcils d'un air rêveur :

« Avec Edwige, papa, je m'arrangerai toujours. Elle me donne carte blanche. »

Il baissa la voix et poursuivit, l'air sombre :

« Elle est en proie aux gosses et aux querelles intérieures. Tu sais que ce malheureux Maurice a pris la décision d'être jaloux, oui, jaloux d'une femme à qui, tous les quinze mois il donne un enfant. Seigneur! Seigneur! Pardonnez à toutes ces âmes douloureuses! D'ailleurs, poursuivit Thierry en gagnant la fenêtre, on vient de hisser le drapeau vert, au balcon d'en face. Et cela signifie qu'Edwige va venir chercher sa poupée dans un moment. Au fait, sais-tu que M. Romanil est dans ton bureau? Il t'attend depuis plus d'une demi-heure.

— Mon garçon, tu aurais pu me le dire tout de suite. Clément Romanil est un homme respectable, un homme dont les minutes sont précieuses. J'y vais; mais, vrai, tu aurais pu m'avertir tout de suite, au lieu de... enfin, je n'ai rien dit, je n'ai rien dit. »

Le cabinet de travail était situé dans l'ancien appartement de droite, celui que Patrice avait réservé pour lui-même et qui se trouvait quelque peu séparé du reste. Patrice y avait sa chambre, une pièce que l'on appelait la bibliothèque, car elle était encombrée par des montagnes de livres et de brochures, enfin un lieu de travail que le papier envahissait inexorablement, de jour en jour, malgré les furieuses razzias de Mme Hortense, personne vigilante, exigeante, terriblement attentive et triste et qui, depuis vingt ans, régentait la maison des Périot.

Assis dans un fauteuil, une paire de lunettes en mauvais équilibre sur son nez bref, Clément Romanil attendait le retour de Patrice en fumant une pipe de merisier et en furetant dans les brochures étalées autour de lui, sur les tables et sous les tables. Il tendit, sans se lever, à l'arrivant, une main grasse, énergique et velue.

« Excuse-moi, vieil ami », dit Patrice en s'asseyant dans son fauteuil de bureau dont le bras gauche n'existait plus, infirmité à laquelle avait fini par s'habituer le maître de la maison. Il ajouta, tout aussitôt : « Et alors ? »

Clément Romanil haussa les épaules et répondit, souriant à pleine barbe :

« Et alors ? Mais rien, mon bon, absolument rien. Le désir de te voir un peu, simplement. Aux Sciences, on ne se voit pas. Tout le monde parle, tout le monde crie et, en définitive, on ne peut causer. On ne peut même pas dire des riens, ce qui soulage parfois. »

Il avait le poil gris et dru, le ventre lourd, la nuque large et sanguine. Mais la lueur des yeux, vive et sereine, faisait oublier la lourdeur de cette carcasse chargée de suif. De sa province natale, il avait gardé non point un accent, mais des inflexions vocales, une sorte de tonalité chantante. Il souffrait d'emphysème et reprenait sa respiration en ouvrant, sans retenue, une bouche plantée de chicots.

« Bien, se dit Patrice Périot. S'il n'a rien à me dire, c'est qu'il a quelque chose à me dire, c'est-à-dire à me reprocher. Les vieux amis, c'est toujours ainsi. »

Et il se prit à consulter, d'un air faussement indifférent, son livre de rendez-vous.

« Tu attends quelqu'un ? demanda le visiteur.

— Quelle question ! J'attends toujours quelqu'un. Et je pense qu'il en doit être de même pour toi.

— Oh ! Moi !

— Toi comme les autres. Notre vie est infernale.

— Non! Non! Ta vie est infernale. Tu ne sais pas refuser. Tu ne sais pas te défendre.

— Attends! Attends! Je vais allumer les lampes. Je ne sais comment tu pouvais lire. La nuit tombe déjà! Ou c'est ma vue qui faiblit. Tu vas peut-être me dire, et ce ne sera pas la première fois, que je me laisse dévorer.

— Non, non, je ne te dirai rien, répliqua le gros homme. Je t'ai dit cela cent fois et le résultat est si faible qu'après tout je ne dirai rien.

— Tiens! s'écria Patrice, l'air inquiet : on vient de sonner. Oh! j'ai l'oreille encore excellente. C'est l'œil qui commence à trahir. On vient de sonner. Je vois ce que c'est. Je vois ce que c'est.

— Mon cher, je vais m'en aller.

— Non, du tout. Tu vas rester. Et je peux t'assurer, Clément, que je ne dirai, devant toi, rien d'autre que ce que je dirais si tu ne te trouvais pas là. Qu'est-ce que c'est, madame Hortense? »

Une grande femme osseuse, de mine austère, vêtue comme une veuve, venait d'entrer dans le cabinet et jetait autour d'elle un regard chargé de commisération.

« Ils sont là, monsieur.

— Qui donc, madame Hortense?

— Oh! toujours les mêmes, ou à peu près.

— Eh bien, faites entrer ces personnes. »

Mme Hortense disparut en laissant ouverte la porte par laquelle, quelques secondes plus tard, entrèrent trois hommes. Le premier portait un chapeau de feutre et un pardessus presque élégant. Les deux autres étaient en veston, malgré la vivacité de l'air en cette extrême fin d'hiver. L'un était nu-tête. L'autre tenait dans ses doigts une de ces casquettes à carreaux un peu semblables aux casquettes des sportifs ou des voyageurs à l'ancienne mode. Silencieuse, légère comme une ombre, une fille jeune pénétra dans la pièce, d'une allure fami-

lière et, tout aussitôt, alla s'asseoir sur un coffre de
marin dans lequel, depuis les temps lointains de son
mariage, Patrice Périot rangeait les papiers de famille.

« Je vous présente, dit le maître de la maison, sans
s'adresser à la jeune fille, je vous présente mon vieil
ami, Clément Romanil, de l'Académie des Sciences. »

Le vieil homme fit un effort infructueux pour se lever
et tendit aux trois visiteurs une main sans conviction.
Après quoi, les trois hommes prirent place sur une sorte
de divan où Patrice venait parfois s'étendre et qui était,
par miracle, respecté par le mascaret de la paperasse.

« Maître, dit le premier des visiteurs, nous avons
tenu, mes camarades et moi, à vous apporter le texte
de la pétition, bien que Mlle Véra nous ait offert de le
présenter à votre signature. »

Patrice avait tiré de leur étui les lunettes qui lui per-
mettaient de lire, d'écrire, de travailler au laboratoire.
Il les mit en place et prit le papier qu'on lui tendait. Il
entreprit de le lire, de le considérer, et deux ou trois
minutes furent consacrées à cette méditation. Puis,
sans mot dire, il trempa sa plume dans une de ces
petites bouteilles d'encre qui valaient deux sous au
début du siècle et, soigneusement, il apposa sa signature au bas de la page.

« Maître, dit alors celui qui se présentait comme le
chef de la délégation, maître, nous savons bien que
nous pouvons toujours compter sur vous quand il est
question de la liberté, de la justice et de la paix... »

Patrice Périot s'était mis debout. Les visiteurs l'imi-
tèrent aussitôt. Le chef de groupe semblait parti pour
prononcer une allocution, mais il hésita soudain, eut
un mouvement des sourcils, saisit le papier des mains
de Patrice, avec un sourire cordial et respectueux, parut
refréner toute éloquence et dit seulement :

« Le jour où tous les intellectuels agiront comme vous,
la plus dure de nos batailles sera gagnée. Merci, maître. »

La jeune fille, telle une souris furtive, s'était déjà glissée jusqu'à la porte qu'elle ouvrit sans bruit. Elle fit passer devant elle les trois visiteurs et les suivit en refermant avec soin la porte derrière elle.

« C'est étrange, murmura Clément Romanil, toujours tassé dans le fauteuil. Je me demande pourquoi Christine, que j'ai vue naître, oublie maintenant de me dire bonjour et bonsoir. On dirait qu'elle ne me connaît plus.

— Tous les enfants sont comme ça, murmura Patrice, l'air songeur. C'est peut-être parce qu'elle te connaît trop. Jamais, vois-tu? mes petits-enfants ne pensent à m'embrasser. Ils ne doivent pas trouver les gens de notre âge très appétissants. Non, pas même cette exquise petite Jeanne, qui est ici en ce moment — L'as-tu vue tout à l'heure? Non? — et qui ne fait pas plus attention à moi qu'à une muraille ou qu'à une borne.

— Je te félicite, fit soudain le visiteur : tu as lu de bout en bout le papier que t'ont présenté ces gaillards-là.

— En voilà une remarque! fit Patrice, l'air scandalisé.

— Peux-tu m'affirmer que tu lis toujours ce qu'ils te font signer?

— Ils? Qui donc désignes-tu par ce « ils »?

Romanil haussa les épaules et demeura silencieux un moment. Puis, d'une voix songeuse, coupée de pauses, il reprit :

« Quand j'avais vingt ans, je disais, comme tous les hommes de mon patelin : « Plus à gauche que moi, « il n'y en a pas! » Mais, aujourd'hui, je ne sais plus où est la gauche, où est la droite, où est la pensée libre, où est la pensée asservie... Tu as signé, il y a trois mois, une pétition pour ces deux fameux bonshommes, emprisonnés au Venezuela. Eh bien, on a fait la preuve que ces deux victimes n'existaient même pas. C'était une

machination, un attrape... un attrape... Mettons un
attrape-généreux...

— Clément, vieil ami, dit Patrice en se promenant
dans la pièce, entre les piles de livres, je t'entends bien,
crois-moi. Quand tu m'as dit que tu étais venu me voir
pour me voir, sans dessein précis, j'étais sûr que tu
avais l'intention de me faire la morale. Ne proteste pas.
Je dis bien : la morale. Et je viens, sachant cela, de
signer une pétition pour Seretti et Montecolla. Ceux-là,
je sais qu'ils existent. Je sais même qu'ils vont mourir,
à moins que nous ne réussissions. Mon sentiment est
simple. Même au risque de me tromper, je signe, je
signerai. Mieux vaut se tromper et faire le nécessaire
pour n'avoir rien à se reprocher. Mieux vaut signer dix
fois pour sauver des fantômes, et, une onzième fois,
arracher un innocent à une mort injuste. Je dis injuste,
et ne commençons pas à discuter sur ce mot-là. Tu
m'entends, tu me comprends. C'est par respect pour
ta liberté que je ne t'ai point passé la feuille, tout à
l'heure, avec la plume pour signer. Je te connais! Je
te connais! Tu es encore capable de tomber dans les
pièges que l'on tend à tous les esprits que tu dis
« généreux », bien que tu penses « nigauds ».

L'homme assis leva les bras au ciel, toussa longuement, devint écarlate et dit enfin, quand fut passée la
bourrasque.

« Je ferme la bouche, mon cher. Mais est-ce bien
la petite Christine que ces gars-là nomment Véra,
maintenant? Qu'est-ce que tout cela veut dire?

— Ça, répondit Patrice d'un air gêné, ça, c'est encore
une autre histoire. Ce serait trop long à t'expliquer.
C'est... comment dirai-je? un nom de guerre. Que se
passe-t-il, Edwige? »

Une jeune femme venait d'entrer dans la chambre
de travail, sans même frapper à l'huis, comme eût pu
le faire une personne pourchassée. Elle était belle de

taille, mais grasse un peu, le corsage plein, la gorge ronde. Et cette gorge semblait toute chargée de sanglots mal retenus. Elle ne répondit pas tout de suite à la question posée par Patrice Périot et gagna la région la plus sombre de la pièce.

« Tu comprends, reprit le savant en se tournant de nouveau vers son ami, j'entends laisser à mes enfants la plus large et la plus humaine des libertés, sans m'abstenir toutefois de leur donner des avertissements et même des conseils. Et je sais, Clément, je sais que les conseils ne servent absolument de rien. L'expérience d'un homme ne sert à personne, et pas même à cet homme. S'il en était autrement, le monde serait sauvé. Nous n'y sommes pas! As-tu connu Ernest Bovet? Non? Dommage. Il disait : « Je veux « que mes enfants soient à gauche quand ils ont vingt « ans. Sinon, où seront-ils quand ils auront cinquante « ans. » Pour Christine... Mais la voilà, Christine. Tu vois, Clément, que mon cabinet de travail n'est pas un sanctuaire, n'est pas un lieu interdit. »

La demoiselle qui venait d'entrer de nouveau dans la pièce ne parut pas touchée le moins du monde par cette parole et elle se dirigea vers la jeune femme, sa sœur, qui se tenait debout, devant la muraille recouverte de livres, et qui serrait dans sa main un mouchoir humide, réduit en boule, comme font les héroïnes des pièces du théâtre moderne, à l'heure des grandes explications.

Pesamment, Romanil s'arracha du fauteuil et se dirigea vers le fond de la chambre.

« Adieu, mes enfants, dit-il. J'aurais eu plaisir à vous parler et plus encore à vous entendre; mais la soirée s'avance et j'ai plus d'une demi-heure de métro, avec les changements. Leurs escaliers finiront par me tuer. Au revoir, Périot, au revoir, mon cher. Iras-tu lundi aux Sciences? Oh! non que l'on puisse parler, dans cette foire, dans cette cohue; mais je te regarderai, de loin, comme peut le faire un très vieil ami qui t'aime depuis longtemps. Au revoir, Edwige! Au revoir, Christine... Oui, ton père m'a dit que tu avais un nom de guerre... »

La jeune fille secoua la tête :

« Ce n'est pas un nom de guerre. C'est un nom de paix.

— Appelle cela comme tu veux! Adieu à tous! »

Et le vieil homme s'en fut. Il était déjà loin, déjà sur le palier, qu'on entendait encore le bruit de sa respiration, tout pareil à celui de ces machines qui soulèvent et lâchent des fardeaux dans les chantiers et les ports.

« Et maintenant, mes petites, murmura Patrice, l'air engageant, il faut quand même que je travaille.

— Non, papa, trancha Christine d'une voix sans vibration, presque dure. Non. Nous allons dîner. Hortense dit que la soupe refroidit. Nous serions à table déjà, sans les discours de ce vieux poussif.

— Christine!

— Père! gémit Edwige, appelle-la Véra, puisqu'elle te le demande.

— Oh! murmura le savant en haussant les épaules, Véra, si vous voulez, ça m'est égal. Toi, Edwige, tu es venue chercher ta fillette, je pense. Je l'ai trouvée, tout à l'heure, avec votre frère Thierry.

— Elle est venue, dit Christine, sévèrement, pour laisser M. Ribeyrol reprendre ses esprits. Ils ne sont pas pressés, les Ribeyrol, ce soir. Ils n'iront pas chez les Puech. M. Ribeyrol est aussi jaloux de M. Puech.

— Véra! Véra! » fit la jeune femme d'une voix suppliante. Et, tout aussitôt, elle ouvrit la bouche, fit de surprenantes grimaces et commença de promener un bâton de rouge sur ses lèvres.

« C'est invraisemblable! pensait Patrice. Edwige est

la plus jolie des deux. Elle est même belle, malgré ses jérémiades; mais est-ce possible de se défigurer ainsi? » Il acheva, tout haut, cette brève méditation en soupirant, l'air accablé :

« Eh bien, allons dîner. Et dépêchons-nous. Il faut quand même que je travaille. Et dire que je n'ai pas encore pu jeter un coup d'œil au courrier. Et j'oublie ce discours, ce discours... »

Edwige partit, entraînant par le poignet la gazouillante petite Jeanne. Patrice mit la main sur l'épaule de Christine, comme Œdipe quand il chemine guidé par Antigone. Et tous deux gagnèrent la salle à manger où se tenaient, debout derrière leur chaise, Mme Hortense et Thierry.

« Naturellement, dit Patrice apercevant quatre couverts, naturellement, Hervé n'est pas là. »

Un bref silence tomba. Puis Mme Hortense prononça d'une voix lugubre :

« Je préfère ne rien dire.

— Il n'y a rien à dire, soupira Patrice en haussant les épaules. Je ne suis pas étonné. Si Hervé était là, je serais étonné. Et puis, je suis étonné quand même : vous deux, Christine et Thierry, vous n'êtes pas en retard. C'est presque miraculeux, mes chers enfants. Félicitations!

— Père, s'écria Thierry avec flamme, tu sais que je n'ai qu'un désir, c'est de ne jamais te faire de peine. Père, tu me connais! »

Il venait de retourner sa chaise et s'avançait vers son père, le visage illuminé, la lèvre tremblante.

« Tu vas peut-être te mettre à genoux, lança Christine de sa voix la plus mince.

— Et pourquoi ne me mettrais-je pas à genoux? » s'écria l'enfant.

Il était là, devant Patrice, les yeux brillants, la respiration oppressée. Il n'avait guère plus de vingt ans

et son visage montrait cette carnation de l'adolescence,
cette rose fraîcheur qui s'allume, luit et s'efface à
jamais en quelques saisons chez les êtres qu'elle favo-
rise, car elle n'est même point donnée à tous. Il restait
donc debout, soulevé d'ardeur. Alors on entendit la
voix fluette de Christine qui disait, à peine perceptible :

« Assieds-toi, petit curé! »

Le jeune homme se tourna vers sa sœur et répliqua :
« Ne me reproche pas d'être chrétien. Je ne te
reproche pas d'être communiste. Si votre communisme
était du Christ, et il pourrait l'être, je serais peut-être
communiste. »

Christine haussa les épaules d'un air excédé. Mme Hortense frappa sur la table comme pour réclamer le
silence et dit, avec l'accent d'une maîtresse d'école :

« Mangez, vous deux! Vous fatiguez le professeur. »

Thierry fit le signe de la croix et commença d'avaler
son potage. Patrice Périot semblait las et soucieux.
Christine-Véra l'observait avec une attention étrange,
un peu semblable à celle du chat qui regarde non certes
une souris, mais un animal très gros, très fort, un cheval,
par exemple, dont le moindre mouvement est quand
même à surveiller. La jeune fille devait avoir vingt-
cinq ou vingt-six ans. Son visage, fin, à la peau mate,
était encadré par deux tresses d'un blond pâle, mais
non certes languissant. Cette blondeur, parfaitement
naturelle, semblait contrariée par deux prunelles sombres,
presque noires. Tout le visage était non pas gracieux,
non pas même étrange, mais dur et anormalement
sérieux, anormalement fermé. Parfois, Patrice la regardait, sans trop en avoir l'air et il partait à rêver :
« Que signifient ces yeux noirs? pensait-il. Nous
avons tous les yeux verts. Clotilde parlait d'un de ses
oncles maternels. Possible. Ces caractères-là sautent
quelquefois cinq ou six générations. Rien ne se perd.

Tout se retrouve. Mais quoi! Elle sait que nous sommes d'accord sur la plupart des points et elle me regarde comme on regarderait un adversaire ou un allié félon. »

Le repas s'acheva, très vite, dans le silence, et Patrice, à pas lents, s'en retourna vers ses retraites. Comme il traversait la pièce à tout faire que l'on appelait le salon, il aperçut, posé dans une assiette de porcelaine fine, le beau vase de cristal taillé qu'on lui avait donné jadis, à Prague, au moment du congrès des biologistes. Il s'arrêta quelques minutes, pour rêver et se souvenir, devant l'objet précieux dans lequel on ne mettait jamais de fleurs et qui, ce jour-là, contenait, par grande exception, un bouquet de violettes. « Mais, mais, dit-il soudain, on m'a brisé mon beau cristal. Est-ce possible? Nous l'avons gardé quinze ans et voilà que la fin est venue, comme elle vient pour tout, sans doute. Qui donc a bien pu être assez maladroit?... » Ce disant, Patrice saisit le vase, pour mesurer l'étendue du dommage. L'eau du bouquet avait fui par la fente, le vase collait à la soucoupe de porcelaine qui se trouva d'abord soulevée, puis se détacha, puis tomba sur le marbre de la cheminée où elle se brisa en vingt morceaux.

« Voilà! pensa Patrice Périot, je suis aussi maladroit que les autres, que tous les autres. Quand je ne casse rien, c'est que je ne fais rien. »

Il s'était mis à genoux et ramassait les fragments de la soucoupe. Il songeait : « Où les cacher? » Il pensa bientôt : « Je vais les mettre dans la corbeille à papier... Non! Hortense les verra et, si elle ne les voit pas, elle peut se blesser. » Il poussa donc un grand soupir et glissa les débris dans la poche de sa veste. Sa pensée prenait un tour désolé : « Tout sera brisé, murmurait-il, tout ce que nous voyons, tout ce que nous aimons, tout ce que nous avons fait s'en ira, quelque jour, en miettes et en poussière. Après tout, c'est dans l'ordre des choses humaines... Je commence à m'attacher à des babioles, à une tasse, à une assiette, à un bougeoir... Mauvais signe, mon cher, mauvais signe! »

Il s'assit devant sa table de travail, alluma la petite lampe qui donnait, au gré de ses yeux fatigués, une lueur parfois trop faible et parfois trop ardente. Il saisit un gros paquet de lettres non décachetées, l'éparpilla devant lui d'un air exaspéré, puis le remit en tas et le repoussa sur le côté, au pied d'un monceau de paperasses. « Non! non! disait-il. Les lettres, ce ne sera pas encore ce soir. Demain, si je rentre avant la chute du jour. Demain, les lettres... Il faut quand même que je travaille. Ah! il y a ce malheureux discours! Eh bien, tant pis! J'improviserai au lieu de lire. Je me défie des improvisations : on ne dit jamais exactement ce que l'on veut. Je suis d'ailleurs bien sûr qu'il y aura une sténographe dans un coin. Après, c'est terrible. Corriger le sténogramme, cela demande plus de temps que d'écrire ce qu'on aurait dû écrire. Tant pis pour le discours! Il faut que je travaille, il faut qu'on me laisse travailler. A chaque instant, désormais, on me demande avec insistance, de participer, de présider... Et il y a des tas de gens qui croient que cela m'amuse! Je le fais par devoir, enfin, je veux dire par conviction profonde. Mais la vie devient impossible. Si cela continue, je devrai renoncer à ce qui m'intéresse au premier chef, à ma fonction de chercheur, d'inventeur. Ils abusent un peu, mes amis. Ils vont faire de moi une sorte de mannequin, une figure représentative. Et représentative de quoi? Non, tout cela est absurde... »

Il avait tiré, puis ouvert, dans l'aire de la lampe, un gros cahier saisi dans une couverture à ressort, une couverture cartonnée, rigide. Il feuilletait ce cahier, en partie recouvert déjà d'une écriture soignée, presque minutieuse et, soudain, il atteignit le point où le texte s'achevait au milieu d'une page blanche, au milieu de l'abîme. Péniblement, ramenant sans cesse une pensée fugitive et indocile, il relut les dernières lignes de son manuscrit : « Il reste à prouver que l'immunité placentaire est strictement limitée aux maladies dont la mère a été sans conteste atteinte, qui ont laissé des traces indiscutables dans la mémoire de l'entourage ou dans les papiers et lettres de famille ou dont une réaction de laboratoire peut déceler les traces dans les humeurs. Si l'immunité dite placentaire s'étendait à des maladies dont la mère n'a pas souffert, il resterait à chercher une explication satisfaisante en dehors du déterminisme... »

Le manuscrit s'arrêtait là. Patrice Périot répéta, remuant doucement les lèvres : « ... du déterminisme... du déterminisme... » Puis, d'une plume appliquée, il écrivit encore un mot : « ... du déterminisme classique. »

Il travailla de la sorte trois heures encore, entendit sonner la minuit, se leva, s'étira, s'en fut vers sa chambre et se mit au lit. Il s'endormit après une heure d'essais malheureux et méthodiques. Il pensait : « Je suis un bègue du sommeil. » Un peu plus tard, il s'éveilla, couvert de sueur, pour fuir un cauchemar qu'il oublia presque tout de suite. « Cette porte que je ne pouvais ouvrir qu'avec un tire-bouchon... qu'est-ce que tout cela veut dire ? Le rêve ? Le rêve ? Et les flammes derrière la porte. Et cette bête accrochée à mon paletot. Le rêve ! Quelle humiliation ! Quel avertissement ! Je veux dire un rêve comme celui-là. Quel désordre ! Quelle déception ! Quel châtiment ! »

CHAPITRE II

DANS la voiture, Gérin-Labrit s'efforça de croiser ses longues jambes et n'y parvint pas. Puis il mit une main devant sa bouche, car les crampes d'estomac le faisaient bâiller. Puis, de sa voix dure, corrosive et sifflante, il fit une observation au chauffeur à propos d'un coup de frein un peu sec. Il se tourna, pour finir, vers Patrice Périot et lui dit :

« Je pense bien, professeur, que vous êtes surchargé de besogne, comme nous tous; mais vous devez accepter... »

Il avait hésité, dans les débuts d'une fréquentation qui, faute de chaleur mutuelle, n'était pas une amitié, il avait hésité longtemps sur le mot qu'il prononcerait pour s'adresser à Périot. Bien qu'il fût, au moins de quinze ans, plus jeune que le savant, l'idée de l'appeler maître irritait son orgueil. Ce mot lui semblait en outre marqué par les traditions bourgeoises. Il ajoutait en fermant les paupières plus qu'à demi : « Et puis, moi aussi, je suis un maître. Alors? » Il ne songeait point à l'appeler monsieur. Et non plus camarade, ce qui lui semblait quelque peu démodé. Alors il avait imaginé de l'appeler par son titre et par sa fonction. Il prononçait donc, d'un air en même temps respectueux et désinvolte : « Professeur... » ou « Mon cher professeur. » C'était assez déférent sans l'être trop. Et c'était, en outre, la reconnaissance d'un simple fait : Patrice Périot était professeur en Sorbonne.

« Si je vous presse d'accepter, reprit-il, c'est que nul mieux que vous ne peut se charger d'une si haute mission. Oui, je sais bien : vous êtes accablé de travail. Mais vous êtes à ce moment de votre admirable carrière où vous devez donner une part de votre effort pour faire découvrir aux multitudes la grandeur de la connaissance, les responsabilités de votre état. Oui, je dis bien : les responsabilités.

— Je comprends... je comprends... murmura Périot l'air inquiet. Mais, en ce qui me concerne...

— Ce journal, poursuivit Gérin-Labrit, imperturbable, s'appellerait, par exemple *La Science libre*. Pour ce qui touche aux problèmes financiers, n'ayez aucune inquiétude. Nous avons de bons amis. Tous les frais seront couverts. Une simple souscription, d'ailleurs, et le peuple tout entier viendrait sûrement à nous. Chacun donnerait son obole. En ce qui concerne le travail, nous vous assurerons une demi-douzaine de secrétaires, et un local. Il s'agit d'une publication scientifique; par conséquent vous n'avez pas à redouter les querelles purement politiques ou les complications avec leur justice. »

Il parlait posément, non sans un détachement hautain qui, parfois, allait à l'élégance. Son visage était d'une maigreur extraordinaire et des cheveux le couronnaient, ondulés, abandonnés à un savant désordre et séparés au milieu du crâne par une raie profonde. Les traits n'étaient pas dépourvus d'une sorte de beauté, de régularité plutôt; mais de grandes rides en entaillaient la substance à peine mobile. Sous les yeux se gonflaient deux poches bleutées. Le regard était gris clair, glacé, impénétrable, insaisissable.

« Au reste, dit-il encore, vous êtes le seul, et vous ne devez donc pas vous dérober. A qui peut-on confier

une chose de cette importance? A Vuillaume? C'est
un timide et c'est un homme peu sûr. A Laurent Pas-
quier? Il est dans la lune et on ne peut absolument
pas compter sur ses réactions. A Sternovitch? Il a
reçu un coup de vieux; il a eu, l'an dernier, une petite
attaque ou quelque chose comme cela. Il est inutilisable,
enfin, je veux dire qu'il est hors de jeu. Et puis, il nous
faut, quand même, un nom français, quelque chose qui
sonne aussi franc que Dupont ou Durand. Excusez-moi,
je rêve devant vous, comme on peut le faire devant un
homme au cœur pur, devant un esprit sans faille. On
avait pensé à Roch... C'est une cervelle étroite. Il a
peur de la politique, peur du communisme, oui, peur
de la vérité, peur de tout. Ah! Voilà! nous arrivons.
Mais nous reprendrons l'entretien, ce soir, ou demain,
peut-être? Je vais marcher devant vous, pour vous
ouvrir le passage. Tous ces braves gens vous aiment
et vous respectent; il faut qu'ils apprennent à vous
connaître, je veux dire à connaître votre personne
physique. »

Ils avaient quitté la voiture et Gérin-Labrit, le bras
tendu, fendait la foule, avec douceur, sans doute, mais
avec autorité. Il disait parfois : « Laissez passer le président de la réunion. Laissez passer le professeur! » Les
gens, une seconde, cessaient de parler, de rire, de se
pousser et certains murmuraient : « C'est Gérin! Tu
ne l'as pas vu? Le grand, là! L'écrivain! Et le vieux?
Tu sais qui c'est? — Oui, c'est un grand savant. Celui
qui préside aujourd'hui! Regarde : son nom est sur
l'affiche. »

Cependant, Gérin marchait toujours, suivi de Périot.
Il disait en souriant : « Passons par ici. Autrement ils
seraient capables de nous réclamer la participation aux
frais! Ce serait quand même drôle! Ne me quittez pas
d'une semelle, professeur. »

Tiré, poussé, tantôt flottant sur la foule comme une

bouteille et tantôt à demi englouti sous une vague humaine, Patrice Périot finit par atteindre le fond de la salle. De jeunes hommes y faisaient régner l'ordre et tenaient la région des tribunes à l'abri de la houle populaire.

« Ne prenons pas tout de suite nos places, professeur. Je vais voir si tout le monde est là. »

Patrice avait son chapeau à la main et, comme il cherchait à s'asseoir, un des garçons qui montaient la garde lui fit passer une chaise. Ce n'était certes pas la première fois que Patrice Périot assistait à une grande réunion publique. On lui avait demandé bien souvent de paraître et même de parler, depuis le mois d'octobre 1936, depuis la fameuse déclaration qu'un journaliste avait obtenue de lui et dans laquelle il avait dit, notamment : « Témoin des souffrances du peuple au milieu duquel je suis né, je veux demeurer avec lui dans l'épreuve, dans l'effort et dans la joie. » Les manifestations étaient toutefois trop nombreuses, pour un homme chargé de soins; Patrice alléguait, non sans raison, ses devoirs et le caractère impérieux de ses obligations. Il avait rarement gain de cause. Tantôt Schlemer, tantôt Gérin-Labrit et tantôt son illustre confrère de l'Institut, le mathématicien Rebufat, intervenaient pour lui forcer la main, l'entraîner, le déterminer. Alors, il cédait en bougonnant. Et quand il se trouvait mêlé à la foule, il éprouvait, malgré toutes les résolutions préalables, une sorte d'ivresse chaude et lucide qui ne lui était pas désagréable, au contraire, qui l'étonnait et finissait par endormir en lui les regrets qu'éprouve toujours un esprit scrupuleux quand il est distrait de ses tâches majeures.

Gérin-Labrit reparut. Il était accompagné de trois hommes que Patrice reconnut aussitôt. L'un était Joseph Mousselon, parlementaire blanchi sous le harnois, vétéran de la révolution. Le second était Joannic,

un sculpteur auquel les Allemands avaient fait subir
de longues tortures et qu'il avait fallu, pour finir,
amputer des deux bras. Près de trois ans après la fin
de ses épreuves, il apparaissait encore prodigieusement
maigre et montrait un regard égaré. Le troisième personnage était ce Schlemer auquel Patrice pensait souvent et avec une sympathie un peu moqueuse, mais
cordiale.

« Prenons place, dit Gérin-Labrit qui conduisit, ce
disant, Patrice Périot jusqu'aux degrés de bois. Vous,
professeur, vous présidez; mais nous comptons sur
vous pour dire quelques mots.

— Je n'ai rien écrit, dit Patrice en écartant les bras
du corps. Je n'ai pas eu le temps.

— Tant mieux! s'écria Gérin-Labrit en souriant.
C'est dans l'improvisation que vous laissez aller votre
cœur à sa guise. Ne perdons pas de temps. La soirée
sera longue. »

Périot, comme il gravissait les marches, entendit
venir vers lui et vers ceux qui l'accompagnaient, une
clameur fervente, mêlée de battements de mains, de
trépignements. La salle était grande, rectangulaire. Le
fond de la salle était à peine visible, perdu dans une
buée bleuâtre faite de la fumée des cigarettes, de l'hu-
midité de la saison, de toutes les haleines qui se mêlaient
dans la lueur amortie des lampes. Il y avait une estrade
assez longue, au milieu de laquelle Périot vint s'asseoir.
Au-dessous de lui, se trouvait la tribune où les orateurs
se tiendraient tout à l'heure, debout devant une tablette
inclinée.

Gérin-Labrit s'assit à la droite de Périot. Il lui tendit
une feuille de papier et dit laconiquement : « L'ordre
du jour! Et maintenant allons-y! Vous avez le micro-
phone à votre place, aussi bien qu'à la tribune. »

Périot se leva, frappa cordialement dans ses mains et,
soudain, le silence gagna les rangs de la multitude.

« Mes amis, dit Périot, nous sommes réunis ce soir pour parler de la paix... »

Il ne put aller plus loin. Un immense cri montait de toutes les poitrines pressées : « La paix! La paix! La paix! »

Périot fit un geste pour demander le calme et il reprit, s'efforçant d'utiliser aussi bien que possible l'appareil amplificateur, qu'il redoutait un peu, qui, jugeait-il, déformait la voix et peut-être même les pensées exprimées par son intermédiaire, mais sans lequel il n'eût pu se faire entendre des milliers de personnes réunies dans ce sanctuaire étrange aux murailles attristées par un badigeon verdâtre.

« Mes amis, reprit-il, vous allez entendre des hommes que vous connaissez et que vous aimez. Je ne dirai que quelques mots, pour introduire les orateurs et vous marquer ma sympathie profonde. La paix! Quel homme, s'il pense à lui-même, ne souhaite la paix? La paix de sa conscience d'abord... Je parle d'un honnête homme. Je ne parle ni des furieux, ni des méchants, ni des aliénés. Et si cet homme se trouve entouré d'êtres qu'il chérit et dont il a la garde, est-il possible qu'il accepte l'idée, seulement l'idée de la guerre? Et s'il songe au peuple laborieux qui, toujours, fait les frais des grands massacres, alors, vraiment... »

Tout en parlant, Patrice Périot se jugeait et se gourmandait dans le secret de son esprit : « J'aurais quand même dû, songeait-il, préparer un petit texte, à tête reposée. Voilà que je dis des banalités. Je me perds dans les lieux communs. Tout cela, parce que je n'ai plus une minute pour réfléchir, plus une minute pour me livrer à un travail fécond... Tant pis! Ils veulent que je parle. Allons-y! En avant pour les niaiseries. Ce sont, au bout du compte, des niaiseries très honnêtes, des vérités élémentaires, mais des vérités... »

Ainsi songeait Patrice; et ces réflexions sévères se

formaient dans une région de son esprit, cependant que dans une autre région s'accomplissait un travail tout différent. Il assemblait des phrases et faisait le nécessaire pour les articuler correctement. Un troisième Patrice Périot observait l'entourage immédiat, puis les premiers rangs de l'auditoire. Et ce troisième Patrice ne pouvait s'empêcher de formuler des remarques telles : « Gérin-Labrit fait la grimace. J'ai dû prendre un thème sur lequel il compte s'escrimer tout à l'heure. Schlemer doit peser au moins cent dix kilos et il a de l'emphysème. Et il trouve le moyen de parler pendant des heures, et de se faire entendre... »

Patrice était debout devant la longue table. Il prenait appui sur cette table avec ses deux index repliés que la pression gonflait et déformait. Il s'était promis de ne parler que trois minutes. Mais il s'aperçut qu'il était parti pour parler au moins un quart d'heure. Les phrases s'ajoutaient aux phrases, sans qu'il eût le temps d'y prendre garde. Parfois, un long cri montait de la salle. Patrice aurait pu profiter de ce cri pour mettre un point final à sa harangue : pourtant, il ne le pouvait, car il n'avait pas atteint ce qu'il considérait comme sa péroraison. Il n'était d'ailleurs pas bien sûr de ne pas éprouver une sorte de plaisir, oh! très loyal, à confirmer tous ces braves gens dans l'amour de la paix, de cette paix qui était bien, pour lui, la condition nécessaire de la civilisation véritable. Alors...

Il parla donc vingt minutes, se reprocha pour le moins sept fois d'avoir succombé au désir de l'effet, oui, de l'effet théâtral. Il se traita de comédien, s'oublia dans une péroraison chaleureuse où il compara, en biologiste, la paix des peuples à la santé d'un organisme. Puis, dans un énorme vacarme d'applaudissements, il s'assit et, pendant qu'il serrait les mains de ses voisins, il se dit à lui-même, fronçant les sourcils : « Christine! Christine est là, au premier rang. Elle ne m'avait pas

dit qu'elle viendrait. C'est bien fâcheux. Si j'avais su
que Christine était là... j'aurais parlé tout autrement...
Elle me tourmente, ma Christine. »

Là-dessus, il se releva tout aussitôt et dit : « La
parole est à notre ami Gérin-Labrit, le célèbre écrivain
des *Vagues profondes.* »

Gérin-Labrit gagna la tribune en détachant du poignet sa montre qu'il posa près de lui. « Diable! pensa
Patrice Périot, s'il met sa montre à côté de lui, c'est qu'il
en a pour une heure. » Il avait, depuis longtemps, une
sorte de règle en tout ce qui touchait les palabres.
« Il y a, disait-il, deux façons de supporter les discours.
La première, c'est de ne rien écouter du tout et de
penser à autre chose. La seconde est d'écouter et même
de faire le nécessaire pour s'intéresser à ce qu'on écoute. »
Il se sentait un peu las et décida de se replier dans ses
retraites, de laisser passer l'orage. A ce moment, il
aperçut, modestement assis au premier rang de l'auditoire, à côté de sa fille Christine, l'ancien ministre
Bertrand Recordeau. C'était un socialiste d'extrême
gauche. Il avait, avant la guerre et après la guerre, fait
partie de plusieurs gouvernements. Il se trouvait,
depuis plus d'un an, écarté des combinaisons et en
éprouvait une amertume qu'il ne parvenait pas à dissimuler. Il montrait à tous les regards, non sans candeur,
la tristesse du ministre congédié, de l'homme qui, dans
l'apathie, attend les chances d'un nouvel embarque-
ment, d'un nouveau bail. « Rien de plus douloureux,
pensa Patrice Périot, qu'un ministre en chômage. Il a
l'air d'un plaideur débouté, d'un solliciteur éconduit,
d'un mari cocu et inconsolable, qui vit séparé de sa
femme infidèle, et qui lui fait, chaque jour, porter un
bouquet de fleurs... Mais pourquoi est-il assis près de
Christine? Est-ce un hasard? »

Un nuage passa donc sur l'un des esprits qui composaient, à ce moment, Patrice Périot. Puis il nota que

Christine n'adressait pas la parole à Recordeau et il
allait se rasséréner quand il crut voir que cette étrange
Christine, elle toujours si froide et même si dure,
applaudissait avec ferveur au moindre propos de Gérin-
Labrit. Car Gérin-Labrit parlait déjà depuis près d'un
quart d'heure. Il avait de véritables dons d'éloquence,
bien qu'il fût sans chaleur. Il ponctuait chaque phrase
d'un geste vertical, du tranchant de la main. Il savait,
malgré la sécheresse de sa personne, projeter la voix
dans la bonne direction, régler à merveille cette balis-
tique particulière; il avait l'air de détacher ses arguments d'une panoplie, de se livrer à une escrime impec-
cable et terrible. Patrice Périot regardait Christine dont
le visage s'animait petit à petit, et il serrait un peu les
dents, comme toujours quand Gérin-Labrit se trouvait
en cause. « Ah! non! non! disait-il. Je sais qu'elle a
vingt-cinq ans. Et je suis son père, je ne suis pas une
nourrice. Elle m'est incompréhensible, ma Christine.
Mais, pas Gérin-Labrit! quand même, pas celui-là! »

A ce moment, Gérin-Labrit fit une volte et sembla
prendre à témoin les membres du bureau. Patrice
remarqua, pendant cette brève manœuvre, que Gérin-
Labrit avait un peu de mousse brune à la commissure
des lèvres et qu'une goutte de sécrétion blanche, toute
semblable à du lait, s'accumulait à l'angle externe des
paupières. « C'est la revanche de la physiologie, songeait-il. Cet intellectuel forcené à des glandes. Il devrait
quand même essuyer tout cela. C'est un peu dégoû-
tant. »

Là-dessus, Patrice fit encore un effort pour oublier la
salle, maintenant grondante, maintenant comparable
à un golfe profond un jour de grand vent. Il dit : « Je
veux absolument travailler. Qu'ils me laissent à mon
travail. C'est quand même leur intérêt, puisque c'est
l'intérêt de la science; enfin, je suis du moins persuadé
que c'est l'intérêt de la science. » Cette tentative de

recueillement fut contrariée par le bruit même du meeting. Gérin-Labrit arrivait, visiblement, à l'extrémité de sa course. Il disait : « Déclarons donc, et tous ensemble, la guerre à la guerre. Nous imposerons la paix, notre paix, quand bien même pour l'imposer, nous devrions recourir aux armes, quand bien même il nous faudrait porter le fer dans cette plaie, débrider l'abcès, évacuer l'humeur malfaisante. Et surtout, surtout, ne l'oublions pas, dans ce combat de la paix, tous ceux qui ne sont pas avec nous sont contre nous. Notre devoir, aujourd'hui comme demain, est de vomir les tièdes. »

On put croire, à ce moment, que la salle allait éclater sous la pression des cris et des bravos. La multitude assemblée en ce lieu jurait à sa manière qu'elle entendait vomir les tièdes. Et Gérin-Labrit gravit avec lenteur, dégustant son succès, les quelques marches qui devaient le ramener à la tribune supérieure où il vint s'asseoir auprès du président. Patrice en était au point où il se demandait s'il devait serrer la main de l'orateur. L'orateur ne le laissa pas dans les affres de l'alternative. Il saisit la main de Périot, l'obligea, par quelques mouvements précis, à se lever et sans crier gare, l'embrassa pour lui donner l'accolade. La foule fit entendre une clameur de contentement. Patrice était ému, mais il songeait à cette mousse brune que Gérin-Labrit avait à la commissure des lèvres, et il était un peu gêné. Quand il fut assis de nouveau, il tira son mouchoir, fit les gestes de l'homme qui a très chaud et, subrepticement, s'essuya les joues. Puis il donna la parole à Schlemer.

On pouvait ne pas écouter Schlemer, au moins de manière continue. On ne pouvait guère ne pas l'admirer. Il était énormément gros. Cela ne l'empêchait pas de se promener de gauche à droite et de droite à gauche, de lever ses bras, de se livrer à une gymnastique qui eût été exténuante pour un athlète aux membres déliés. Il parlait d'abondance et, visiblement, tirait de cet exercice une volupté personnelle très vive. Mais il savait aussi donner du plaisir à l'auditoire. Périot décida de ne pas l'écouter, mais de le regarder, de chercher dans ce spectacle un divertissement.

C'était un divertissement du premier étage, oui, du premier étage de l'esprit. Par les cimes de ce même esprit, Patrice alimentait d'autres querelles. Il s'accusait et plaidait. Il disait : « Si je fais cela, si je parais sur ces estrades plusieurs fois par mois maintenant, ce n'est pas pour Gérin-Labrit, ce n'est pas pour faire plaisir à Rebufat ou à Schlemer, c'est pour apporter à tous ces braves gens le message d'un monde secret, notre monde, à nous autres, hommes de la recherche. Et puis les services que je rends ainsi font partie de mes devoirs envers moi-même. C'est cela : envers moi-même. »

Ainsi donc allaient les réflexions de Patrice. Mais Schlemer en était venu à ses artifices familiers. Il lançait, non sans préparation, des mots par lesquels il nommait tantôt ses adversaires, tantôt les doctrines ou les maximes de l'adversaire. Et, chaque fois, pendant que le gros homme levait au ciel des bras trop courts, la foule faisait entendre des « hou! hou! » coupés de longs coups de sifflet.

Un peu après minuit, quand l'assemblée eut, à mains levées, voté deux ou trois vœux concernant son ardent désir de paix, Patrice Périot sortit de la salle, au bras de Gérin-Labrit. L'écrivain écartait la presse en disant : « Laissez passer notre président, le grand savant de la paix. » Les hommes et les femmes s'écartaient avec docilité; mais ils murmuraient aussitôt : « Qui est-ce? Tu sais qui c'est, celui-là? » Ils avaient vu Patrice de loin et le reconnaissaient mal! En outre Patrice avait parlé le premier et, depuis, un flot de mots avait roulé sur toutes ces têtes honnêtes, inquiètes, tourmentées.

Ils retrouvèrent la voiture, non sans peine et Gérin-

Labrit dit : « Naturellement, je vais vous reconduire chez vous. »

Patrice Périot, soudain, était très las, comme un homme qui vient de s'abandonner à une débauche inhabituelle et surmenante. Gérin-Labrit s'efforçait de faire bon visage pour cacher sa propre lassitude. Il articulait, d'une voix posée, lointaine, des phrases telles :

« Le communisme triomphera, parce qu'il apporte une espérance. Tous ces hommes ont besoin d'une espérance. Le communisme seul leur apporte cette nourriture-là. »

Le silence retomba presque aussitôt entre les deux hommes et Gérin-Labrit le rompit une fois encore.

« Il est complètement absurde, vous m'entendez, professeur, d'espérer une réconciliation des classes. Il n'y aura pas de réconciliation des classes.

— Mais alors? » dit Patrice, l'air absent.

Gérin-Labrit leva la main et fit, pour toute réponse, le geste de balayer l'espace, d'écarter quelque chose, de précipiter quelque chose dans l'abîme.

CHAPITRE III

LE couloir qui chemine au centre de la maison est un lieu mélancolique. Il ne reçoit jamais la lumière du ciel. Les tubes du chauffage central y rampent à découvert et y répandent une chaleur douceâtre. Les odeurs de la vie, chassées par les courants d'air, viennent se réfugier là pour s'y corrompre à l'aise et mourir de langueur. On a décoré les murs avec de très mauvais portraits que nul n'ose plus regarder dans la crainte de se reconnaître. Une petite lampe impuissante, condamnée au supplice de la pendaison, règne sur ce lieu ingrat. Et pourtant, à certaines heures, on entend de jeunes voix chanter et quereller dans les chambres voisines. Une conduite d'eau se prend à siffler, à rythmer quelque marche étrange qui est peut-être un des hymnes de notre siècle hagard. Alors les portes claquent et le vieux couloir, pendant quelques instants, a l'air d'un sanctuaire profané, d'un sanctuaire de la mélancolie pris d'assaut par le vacarme.

Deux fois, trois fois de suite, Hervé Périot frappa, sans douceur, à la porte de la salle de bains. Comme il ne recevait aucune réponse, il cria :

« Christine! »

On pouvait entendre, à l'intérieur de la salle fermée, de menus bruits comme ceux que l'on fait en heurtant des flacons. Alors, Hervé se reprit à crier, mais il disait :

« Véra! Ouvre, Véra!

— C'est invraisemblable! répondit la voix basse et calme de la jeune fille. Tu ne demandes même pas si je suis visible. »

Hervé haussa les épaules. La voix disait encore, de l'autre côté de la porte close :

« Tu es si pressé?

— Non. Je veux te parler.

— Alors attends, mon cher. »

Hervé Périot hésita quelques secondes, puis il entra dans la chambre de sa sœur, s'assit sur le bras du fauteuil et chercha, d'une main distraite, dans les piles de journaux. Quelques minutes passèrent, puis Christine parut, nouant la ceinture de son peignoir.

« C'est invraisemblable! reprit-elle sans élever la voix. C'est invraisemblable! Tu entres chez moi, tu t'installes, tu farfouilles dans les papiers qui sont sur ma table... »

Hervé regarda sa sœur une bonne seconde d'un œil voltigeur et il murmura :

« Ce qui m'a toujours plu, chez toi, c'est que tu ne caches rien, ni tes convictions, ni tes actions, ni tes haines...

— Rien! Je ne cache même pas mon mépris.

— Alors, reprit le garçon en allumant une cigarette, il n'y a pas d'indiscrétion possible avec les gens de ton espèce, et c'est ce qui fait leur admirable originalité. Je suis venu dans ta chambre pour te demander un service.

— Non, trancha la demoiselle.

— Quoi... non?

— Non, je ne te prêterai pas ma voiture. »

Hervé Périot était de taille médiocre et ne semblait point en souffrir, tout soucieux qu'il se montrait de trouver d'autres raisons à ses inquiétudes ordinaires. Il avait le visage fin, agité de tics irréductibles, des cheveux flous et flottants, le regard verdâtre des Périot, ce regard que Christine disait parfois « couleur des huîtres ».

Il considéra, de nouveau, quelques moments, sa sœur avec une attention soutenue, cette fois, une attention féline et il dit :

« Pas même pour deux heures?

— Pas même pour cinq minutes.

— Si tu me la confies deux heures, aujourd'hui dimanche, avant le déjeuner, je m'engage à te la rendre en parfait état, naturellement.

— Naturellement. Et à me donner une médaille, peut-être.

— Non! Je ne te dirai pas tout de suite ce que je ferai pour te remercier.

— Nul besoin de remerciements. Si je te laisse conduire ma voiture, même cinq minutes, je sais que je ne la retrouverai pas telle que je la connais. Il y aura quelque chose de cassé, un boulon desserré, une commande infidèle, un bruit nouveau et inexplicable, enfin quelque chose qui sera la marque de ta nature, la trace de ton passage. Une voiture, c'est, de tous les objets qui nous entourent, celui qui ne peut absolument pas changer de mains. Même si j'avais en toi la confiance la plus ferme, je ne te prêterais pas ma voiture.

— Même, dit Hervé en regardant le plafond d'un air innocent, même s'il s'agissait d'une question de vie ou de mort? »

Christine commença de se frotter les ongles avec une petite lime et dit, la voix placide et bien posée :

« Je dois te prévenir, mon cher, que le chantage à la tragédie est une mauvaise méthode. Ce n'est même pas du tout une méthode. Tu as fait cela dix fois et tu ne te portes pas trop mal. Tu as donc perdu tout crédit avec les gens qui t'entourent, sauf peut-être avec papa. Pour papa, je ne peux pas dire. »

Le jeune homme ne semblait pas avoir entendu ces réflexions sévères. Il n'en retint que les derniers mots et répéta :

« Papa! Papa! Il n'a pas de voiture, papa. Il prend le métro, papa. Il marche à pied, papa.

— Il déclare lui-même que c'est excellent pour sa santé. Et puis, il est trop vieux, maintenant, pour apprendre à conduire. Il n'y pense même pas.

— Sauf toi, nous n'avons pas de voiture. Ni les uns ni les autres. Je parle des non-mariés et de papa. Je ne parle pas de Maurice qui est l'égoïsme incarné. Non, nous n'avons pas de voiture. Mais Véra Périot a une voiture.

— Elle ne m'appartient pas.

— Elle est inscrite à ton nom. Si tu me la prêtes, ce matin, pour deux heures, pas une minute de plus, je te la rendrai, d'abord, en excellent état, naturellement. Je m'engage, ensuite, à ne rien dire à papa de...

— De?

— De la personne à qui, plusieurs fois par semaine, tu prêtes cette voiture qui n'est pas à toi et qui est marquée par ton génie exceptionnel et inimitable. »

Au moyen d'un fin pinceau, Christine, maintenant, appliquait sur ses ongles un vernis incarnat. Elle ne leva même pas les yeux, elle n'enfla même pas la voix et répondit, articulant toutes les syllabes avec lenteur :

« Si tu tourmentes papa, mon cher, avec de telles sottises, je te préviens, Hervé, que je suis en mesure de te punir de façon exemplaire.

— Vraiment? Et comment donc?

— En faisant le nécessaire pour te mettre hors d'état de nuire, d'abord. En t'obligeant ensuite, grâce à une sévère cure de solitude, par exemple, à devenir ce que tu n'es pas.

— C'est-à-dire?

— Un garçon raisonnable, un honnête homme, un homme normal.

— Véra, fit Hervé en riant nerveusement, le chantage à la vengeance n'est pas une bonne méthode. Ce

n'est même pas du tout une méthode. Je vais te renvoyer ton boniment. Tu m'as menacé dix fois pour le
moins et tu as perdu tout crédit, etc. et attends...
attends... je suis peut-être un malheureux, mais toi,
tu es, très exactement, une méchante. Tu es horrible,
horrible! Et attends encore : quand tu commences à
être moralement horrible, tu deviens laide. »

De mot en mot, il élevait la voix. Et soudain, il aperçut, debout sur le seuil de la chambre, en pyjama, les
cheveux emmêlés, son frère Thierry, les bras au ciel.

« Voilà! fit posément Christine. Tu cries, Hervé! Tu
tires de ses méditations ou peut-être même du sommeil
notre petit saint de Thierry qui va s'appliquer à nous
faire la morale, en sorte que je vais vous mettre à la
porte tous les deux pour m'habiller tranquillement. »

Elle commençait de pousser vers le couloir Hervé,
soudain sombre et silencieux. Mais Thierry s'était pris
à crier d'une voix sanglotante :

« Christine, je t'en supplie, ne me remplis pas de
honte en m'appelant petit saint. Je suis un garçon très
misérable, un pécheur, un sot. Mais la pensée que vous
ne pouvez pas vivre dix minutes ensemble sans vous
disputer me bouleverse et me désespère. Il me semble
que c'est ma faute, que c'est moi qui suis coupable, que
j'aurais dû vous expliquer les choses, vous convaincre.

— Mon petit ami, fit Christine imperturbable en le
saisissant par l'épaule, il faut avoir un orgueil fou pour
s'imaginer qu'on est coupable de toutes les fautes et
de toutes les misères des autres. Allons! Laissez-moi
m'habiller. »

Au moment de franchir le seuil, Hervé se retourna
soudain et dit, tout bas et très vite, dans l'oreille de sa
sœur.

« Prête-moi mille francs, Véra. Non! Non! Je
veux dire donne-moi mille francs, seulement mille
francs. Je promets que je ne te les rendrai jamais. »

La jeune fille haussa les épaules, chercha de l'œil son petit sac à main, l'ouvrit très vite et en tira un billet qu'elle fourra dans la poche de son frère. Elle disait, les dents serrées, les lèvres minces : « Va-t'en! Va-t'en! Va-t'en! Ne me dis pas merci, surtout, ou je déchire le billet. Ne me dis pas que je ne suis pas horrible. Ne me dis pas que je ne suis pas laide. N'aie pas de remords, malheureux! »

Les deux garçons se retrouvèrent, face à face, dans le couloir aux odeurs mortes. Hervé respirait précipitamment et Thierry cria soudain :

« J'entends battre ton cœur. Tu es malade!

— Non, dit Hervé, je ne suis pas malade. Je m'ennuie, c'est tout. Maintenant, je vais passer une veste et tâcher de parler à papa. As-tu déjeuné? Non! La communion, je pense? Eh bien, tant mieux! Laisse-moi tranquille. Ne me raconte pas d'histoires. Je déjeunerai avec vous tous, à midi. »

Patrice Périot était assis, en robe de chambre, devant sa table de travail. Il dit, voyant entrer Hervé :

« Je vous ai entendus crier. Oui, de ma chambre! Je ne peux pas vous empêcher de vous chamailler : j'ai trop de choses à faire. Votre mère est morte trop tôt et je ne m'en consolerai jamais. Elle vous comprendrait peut-être. Elle saurait peut-être vous parler. Moi, je ne sais pas, je ne sais pas.

— Papa, dit Hervé, peux-tu me donner dix minutes?

— Pas tout à l'heure, Hervé, pas tout à l'heure. Il faut quand même que je regarde toutes ces lettres et que je prépare les réponses. Viens me voir avant le déjeuner. Tâche de n'être pas en retard. Qu'est-ce que tu as dit à ta sœur?

— Rien, rien, soupira le jeune homme. Des douceurs, des gentillesses. Elle n'aime pas cela. Elle est rêche et dure comme une chèvre.

— Laisse-moi, mon garçon, laisse-moi. Si tu as le

temps, fais passer un mot à ta sœur Edwige, par le
transbordeur, pour leur dire que nous mangerons à une
heure moins un quart. Comme ça, je le saurai un peu
après une heure et demie... Laisse-moi travailler,
Hervé! »

Patrice Périot demeura seul, soucieux, devant la
table sur laquelle les lettres, les journaux, les revues,
les brochures formaient comme une montagne strati-
fiée, avec des tables rocheuses, des vallons, des falaises,
des précipices. Il se divertit une seconde seulement de
cette comparaison géologique, puis il sentit qu'une
comparaison ne résolvait pas la besogne et qu'il fallait
travailler.

Il avait vécu longtemps dans une obscurité laborieuse
et heureuse. La renommée lui était venue soudain, en
1935, quand il avait reçu, d'ailleurs à sa grande surprise, le fameux prix Gordon Pain, que l'Académie du
Massachusetts délivrait ainsi pour la seconde fois à un
savant français. Il venait de publier un ouvrage
intitulé *Notes sur les réservoirs naturels, en biologie.* Un
travail de cette sorte n'était pas absolument inintelligible au lecteur instruit et de bonne volonté; mais il
avait été composé par un spécialiste qui s'adressait à
des spécialistes. La gloire soudaine de Patrice Périot
intéressait la France entière. Des vulgarisateurs avaient
aussitôt expliqué, dans leurs articles, que le professeur
Périot présentait, comme suite à ses recherches, une
véritable philosophie de la vie animale et que ces
recherches concernaient particulièrement la vessie, l'extrémité inférieure du tube digestif et divers autres
appareils. Aussitôt d'habiles journalistes avaient trouvé
là des thèmes divertissants et s'étaient pris à parler de
Patrice Périot, dans leurs gazettes, avec la plus cordiale
familiarité, montrant ainsi qu'ils n'ignoraient rien de
la nouvelle « théorie des réservoirs naturels ». Environ
ce temps, Patrice avait été sollicité de joindre son nom

à ceux d'autres personnes éminentes qui entendaient approuver ou désapprouver les propos et les actes des hommes politiques promus à la direction d'un groupe, d'un parti, d'une nation. Patrice, chaque fois, lisait avec attention le texte qui lui était soumis, puis il prenait sa plume et, quand il approuvait le texte, il apposait sa signature. Presque tout de suite, le ton de la presse avait changé : une partie des journaux parlant de Patrice avec une aigreur polie, l'autre le célébrant en termes respectueusement hyperboliques. L'honnête homme disait, en dépliant les feuilles : « Mais non! Mais non! Je ne suis pas le plus grand savant du XXe siècle. Je suis un chercheur parmi les autres. Mais comment leur expliquer cela! Pour renoncer à l'usage continu du superlatif, il faut de bons renseignements, des éléments de comparaison, enfin ce que l'on appelle maintenant une culture générale. »

Quand, en 1936, il avait innocemment dicté à un enquêteur la phrase qui lui semblait exprimer en toute simplicité le plus clair de son sentiment, il ne s'attendait pas du tout à ce qui allait advenir. « Témoin des souffrances du peuple au milieu duquel je suis né... » Eh bien, oui, c'était indiscutable. Il était né d'une famille de petits artisans. Il s'était instruit à force de patience et d'économies. Il avait fait la guerre, entre 1914 et 1919, comme officier d'infanterie. Il parcourait chaque jour les rues de Paris, il connaissait ce peuple et il l'aimait. Quoi de plus vrai? Quoi de plus simple? La phrase avait pourtant été reproduite en caractères d'un pouce par toute la presse de gauche et d'extrême gauche. Il était apparu tout aussitôt que Patrice Périot, qui venait d'être élu à l'Académie des Sciences, était un savant de valeur, sans doute, mais un partisan. Les journaux de la droite et de l'extrême droite publiaient des échos moqueurs dans lesquels de jeunes journalistes appelaient le professeur Périot par de petits noms ironiques tels que Périot-

la-vessie ou même Pépé-le-sphincter. En sorte que les
gens, dans le métro, se demandaient, par-dessus le journal
déployé : « Qu'est-ce que c'est qu'un finter? Pourquoi
l'appelle-t-on comme ça, celui-là? Tu peux me dire ça,
toi? » Et la réponse venait parfois : « C'est une espèce de
sphinx. Tu sais, les bêtes en Égypte, là-bas, aux Pyramides. »

Dans les années qui avaient suivi cette explosion de
célébrité, Patrice avait fait des recherches de grand
intérêt sur ce qu'il appelait « les organes non soumis au
contrôle de la volonté ». Ces recherches avaient provoqué
de très ardentes discussions dans les sociétés savantes;
mais le public n'en avait guère entendu parler. L'image
de Périot était composée et répandue : elle n'avait pas
besoin de retouches. Il ne faut pas abuser de l'attention
ni de la patience des multitudes.

Cette gloire soudaine et bigarrée étonnait souvent
Périot et l'indisposait parfois. Il commençait de regretter le temps pendant lequel il avait travaillé dans
l'ombre, le temps où nul ne s'occupait de lui! Et quand
un ami lui faisait quelque compliment sur le bon succès
de ses travaux, il hochait la tête en disant : « Oui! Oui!
c'est cher payé, je vous assure. »

De 1936 à 1939, cette gloire non souhaitée avait
grandi. Patrice avait fini par s'y faire et même par y
prendre, à certains moments, un plaisir qu'il jugeait,
dès le lendemain, avec rigueur. Venu le temps des
désastres, en 1940, la maison de Patrice Périot avait été
l'objet, de la part des Allemands, de plusieurs perqui-
sitions, d'ailleurs sans résultat. Il avait été, en 1942,
au nombre des membres de l'Institut qui avaient passé
deux ou trois jours en prison et qui s'étaient retrouvés,
un matin, sur le quai de la gare, à Fresnes, tous fort
abasourdis, surtout les sourds, tous porteurs de souliers
dont une police tatillonne avait enlevé les lacets, mince
détail qui ne laissait pas d'incommoder ces hommes de
mérite dont beaucoup étaient fort âgés.

Patrice avait donc vécu le temps de la guerre à son poste de professeur. Il avait, dans les jours de la libération, goûté des joies religieuses, exaltantes et, tout de suite, il avait recommencé de figurer sur les estrades, de haranguer, malgré qu'il en eût, de grandes foules qu'il aimait et qui, petit à petit, lui composaient une légende, plutôt qu'une réputation. Mais il souffrait de diverses choses, et, par exemple, de cette correspondance exténuante, exigeante, indiscrète, qui lui prenait une si grande part de son temps bien qu'il reçût les soins d'une secrétaire diligente, d'une dame qui répondait à presque toutes les lettres, pourvu qu'elle fût guidée d'un mot.

Patrice se plaignait donc, amèrement, à qui voulait l'entendre, de ce fardeau qui pesait sur sa vie et le détournait de ce qu'il considérait comme son vrai devoir. Certains jours, toutefois, le nombre des lettres venait à diminuer, sans raison intelligible. Patrice Périot, à voix haute, se déclarait bien satisfait de cette décrue; mais il songeait, dans le secret de son esprit : « Les gens commencent de m'oublier. C'est sans doute que je vieillis. » Une sourde inquiétude empoisonnait aussitôt cette paix d'ailleurs fugitive. Dès le lendemain, le mascaret de papier venait de nouveau submerger la table de travail de Patrice. Le téléphone retentissait dix ou douze fois l'heure. Les visiteurs étaient nombreux et la matinée du lundi, qui leur était réservée, ne suffisait pas à tous les entretiens. Patrice Périot devait souvent s'interrompre, au fort d'une méditation bien menée, pour accueillir une délégation de personnes qui, toutes, respectaient son œuvre, sans d'ailleurs la connaître, et qui venaient lui demander de manière pressante de prononcer un discours, par exemple pour l'inauguration d'un foyer du travailleur, dans la banlieue nord, ou pour protester publiquement contre l'emploi de la bombe atomique. Patrice Périot fronçait les sourcils. Il murmurait : « Je suis accablé de travail. » Puis son

imagination entrait en branle pendant que le colloque
se déroulait. Il pensait à des calculs faits par ses
confrères les physiciens... « La vitrification du sol, sous
l'action de la bombe atomique, ne dépassait pas, ne
pourrait pas dépasser, dans les conditions présentes un
ou deux mètres de profondeur. On allait donc devoir
construire des villes souterraines... L'humanité, comme
les termites, vivrait dans les entrailles du sol; elle allait
renoncer à la lumière, à toutes les joies de la vie... Oui,
oui... il y avait là quelque chose à dire pour un biologiste... » Vaincu par les prestiges de sa propre imagination, Patrice Périot annonçait donc qu'il paraîtrait à
cette grande manifestation pour protester contre l'emploi de la bombe atomique. Et, à la seule pensée des souffrances de l'humanité future, des souffrances de ses
enfants et de ses petits-enfants, les larmes lui montaient
aux yeux. Les personnes qui composaient la délégation se
retiraient avec respect. A peine étaient-elles parties, le
professeur Périot se reprochait sa faiblesse et se gourmandait : « Ce que l'on demande à un homme de ta sorte,
ce n'est pas de parler devant une grande foule, même
tout à fait respectable et touchante, c'est de travailler,
de faire ce que nulle autre personne ne peut faire aussi
utilement que toi. »

Patrice Périot avait donc formé le projet de profiter
de ce dimanche matin pour mettre en ordre sa correspondance et préparer le travail de la secrétaire. Après
quoi, il déjeunerait avec ses enfants et petits-enfants,
puis il irait faire une visite à son frère Gustave Périot;
enfin il donnerait à un travail personnel et peut-être
fructueux la fin de cette journée de trêve.

Il commença d'ouvrir les enveloppes et de lire les
lettres afin de les annoter. Souvent, très souvent, il
secouait la tête avec navrement. Il divisait les corres-
pondants inconnus en plusieurs catégories qu'il dési-
gnait par un signe spécial, crayonné sur l'enveloppe.

Il y avait les malades, les méchants, les fous, les imbéciles. Il rencontrait aussi, parfois, une lettre parfaitement pure, belle et désintéressée. Il la goûtait au passage; mais il savait bien qu'une pointe d'amertume suffit pour gâter toute une coupe d'ambroisie. Et puis, il y avait les anonymes, dont il était préférable de ne pas parler et qu'il valait mieux même ne pas lire, parce que ces lettres contenaient quelque venin rare ou parce qu'elles posaient quelque lancinant problème. Enfin les lettres des vrais et vieux amis versaient un baume sur les égratignures et les plaies; elles étaient, ces lettres généreuses et bienfaisantes, assez rares. La vie devenait harassante pour tout le monde. Et qui donc avait encore le temps d'épancher son cœur?

Après quoi, venaient sous les yeux de Patrice les convocations, les invitations et autres papiers dont la lecture, même sommaire, n'allait pas sans donner de l'ennui ou du remords. Patrice appartenait, comme tous les gens de quelque renommée, à une multitude infinie de sociétés qui réclamaient des cotisations. Patrice, depuis 1936, recevait en outre maints papiers qui provenaient de gens qu'il ne connaissait pas et qui s'adressaient à lui en l'appelant « mon cher ami ». C'étaient les papiers de caractère politique et Patrice les classait à part.

Cependant qu'il procédait, non sans effort et irritation, à cette besogne de discernement, Patrice, dans le fond de son cœur, chantait un air qui le hantait depuis la veille et qui n'avait, à coup sûr, aucun rapport avec le travail qui s'accomplissait dans une autre région de l'esprit. C'était là ce que Patrice appelait la doctrine de l'intelligence polyphonique.

Parfois, il ouvrait son livre d'adresses. Assurément, ce livre était assez ancien et il n'était pas tenu rigoureusement à jour. Patrice, le feuilletant, songeait : « C'est un cimetière! C'est une prison! C'est un hôpital! C'est un asile d'aliénés! » Il entreprenait de biffer le nom des morts. Le travail menaçait d'être long. Alors, saisi de frénésie presque désespérée, Patrice avait envie de tout supprimer, de tout précipiter dans l'oubli, dans le néant, d'en finir, pour ce qui le concernait, avec cet univers incompréhensible.

Il revenait à la montagne de paperasses et entrouvrait les revues ou les journaux. Il y avait toujours là les papiers des propagandes. Les propagandes triomphantes, celles qui étaient au pouvoir, inondaient les pays à gagner, les inondaient de publications copieuses et illustrées avec magnificence. En revanche, les exilés des mêmes pays, ceux qui vivaient difficilement en terre étrangère, envoyaient de petits bulletins tirés au polycopiste et le plus souvent illisibles : le malheur aime le malheur, la misère court à la misère. Patrice s'arrêtait un moment, la bouche ouverte et songeait avec obstination : « Celui qui est avec les malheureux, avec les plus malheureux, celui-là ne peut se tromper. »

Souvent Patrice apercevait son nom dans les feuilles. Il fronçait les sourcils : « Ce n'est pas vrai, pensait-il, ce qu'ils disent là. Tout est faux! Tout est faux! Si j'en juge du moins par ce que je connais bien. Je ne suis pas né en 1879, mais en 1881. Je n'ai pas épousé Germaine Lemarchand, mais Clotilde Demoncelle. Je n'ai pas sept enfants. Je n'en ai que quatre. Je ne suis pas professeur au Collège de France, mais professeur à la Sorbonne. Enfin je ne connais rien aux réservoirs du Massif Central. Les pauvres gars! Ils prennent la vésicule biliaire pour un réservoir du Massif Central! Non, non, mes fils ne sont pas inscrits au parti communiste. Non, ce ne sont pas mes fils qui sont inscrits au parti communiste... »

Là-dessus, Patrice ouvrait un autre journal, tombait sur un article tout imprégné de vitriol, relisait deux fois de suite la page corrosive, soupirait et poussait le

papier dans la corbeille en murmurant : « C'est affreux!
De quoi se mêle-t-il, celui-là? Mais les mauvais articles
ont du moins un avantage, c'est que je ne suis pas
obligé de répondre. »

Le professeur Périot, ce matin-là, en était juste à ce
point de ses méditations quand il entendit frapper à
la porte. Avant qu'il ait eu le temps de dire un mot,
la porte s'ouvrit et parut Hervé.

« Papa, dit-il, tu n'as pas l'air de savoir qu'il est
midi et demi.

— Non, ma foi, non! mon garçon. Je n'y pensais
pas. »

Hervé prit place, comme son frère et ses sœurs quand
ils venaient voir leur père, sur le canapé où Patrice,
parfois, s'allongeait pour lire quelque livre. Le jeune
homme avait l'air distrait, égaré. Il agitait à tout
moment ses oreilles qui étaient extraordinairement
mobiles. Quand il le voyait procéder à cet exercice,
Patrice ne pouvait s'empêcher de penser : « Je n'ai vu
pareil développement des muscles du pavillon que chez
mon frère Gustave. Par ce dispositif anatomique, Hervé
est de mon côté, du côté des Périot. Pour le reste, je ne
vois pas très bien. Que de choses dans le petit bagage
d'un germe! »

Il répéta, la voix rêveuse :

« Qu'est-ce que tu veux, mon garçon? »

Hervé ne répondait pas tout de suite. Il se rongeait
les ongles.

« Mon cher, fit Patrice, tu ressembles à un membre
de l'Institut.

— Pourquoi? En quoi? s'écria le jeune homme d'un
air offensé.

— Tu te ronges les ongles. Je connais au moins trois
de mes confrères qui se rongent les ongles. Ce sont
quand même des hommes très bien. »

Hervé haussa les épaules et vociféra d'une traite :

« Ma sœur Christine est sotte et méchante; mais je n'en suis pas responsable.

— Non certes, mon ami, absolument pas.

— N'empêche qu'elle pèse sur moi. Oui, par son caractère... impérialiste.

— Bien! Bien! je vois ce que c'est, murmura Patrice l'air excédé. Les sorties de ce genre se terminent, mon cher garçon, par une phrase illustre qui est de je ne sais plus qui : « Familles, je vous hais... » ou quelque chose comme ça.

— Papa, fit le jeune homme en se levant d'un air agité, papa, je ne te hais pas.

— Attends, mon garçon! Attends! Ça, c'est du Corneille!

— Papa, ne te moque pas. Écoute-moi plutôt. »

Hervé se leva, vint auprès de son père, se tourna de manière à lui montrer son dos et dit tout bas :

« Papa! Il faut que tu me donnes cent mille francs.

— Hein? reprit Patrice avec flegme.

— Cent mille francs, reprit le garçon en poussant la voix sourdement. C'est tout à fait nécessaire. »

Il y eut un assez long silence puis Patrice Périot murmura :

« C'est étrange! Chaque fois que je me casse une dent, ce n'est pas en mangeant des noix, c'est en mangeant de la purée de pommes.

— Pourquoi dis-tu cela?

— Difficile à t'expliquer, mon enfant. Cela signifie que les événements détrompent souvent mes prévisions, cela signifie que je m'attendais à une querelle de famille tout à fait ordinaire.

— Écoute encore, papa, dit Hervé. Tu veux être bon avec tout le monde. Et tu oublies d'être bon avec tes enfants, de t'occuper de tes enfants. »

Hervé avait vingt-quatre ans; mais, à ce moment, son visage était celui d'un très jeune enfant tourmenté, souffrant, et les tics le tordaient de manière intolérable.

« Attends encore, dit le garçon. Je vais te rendre un grand service, papa! Cette feuille qu'on est venu te faire signer, l'autre jour... Ma sœur Christine était là, je sais tout... Ce jour-là, elle s'appelait Véra. Cela dépend des occasions... Eh bien, tu reliras le texte, dans leurs journaux. Ils ont ajouté deux lignes, je sais ce que je dis. »

A ce moment, la porte de la chambre s'ouvrit en coup de vent et Christine parut. Elle ne fit même pas un geste pour entrer et dit seulement :

« J'ai tout entendu.

— Voilà! dit Patrice, l'air accablé. Voilà ce que c'est qu'une grande famille. On ne peut jamais être sûr qu'il n'y aura pas quelqu'un derrière la porte.

— Je n'étais pas derrière la porte.

— Alors, où étais-tu, puisque tu viens d'entrer?

— J'arrivais, j'arrivais tout juste.

— Et tu as eu le temps de tout entendre! Quelle extraordinaire contraction du temps, ma petite Christine.

— Je t'ai demandé cent fois de ne plus m'appeler Christine. Je ne crois pas au Christ.

— Possible, mon enfant. Pourtant le nom est beau. Il sonne bien. Et puis, c'est difficile pour nous autres qui vous avons vus tout petits.

— Allons déjeuner, dit Christine, le visage fermé. Hortense nous attend et commence à dire des choses désagréables.

— Et ta sœur? Et son mari, et leurs enfants?

— Ils arrivent par vagues successives. »

Patrice Périot se leva, lourdement, se pencha vers Hervé et dit tout bas :

« Cent mille francs, mon pauvre garçon! Mais tu es fou! Je ne les ai pas.

— Tu peux vendre la maison de Jouy-le-Comte.

— Tu es tout à fait fou. Viens déjeuner. »

Patrice passa dans la salle à manger où la table du dimanche était dressée. Edwige, l'aînée des quatre enfants, venait d'arriver avec ses trois bébés.

« Ton mari n'est pas encore là? dit Patrice avec sollicitude.

— Non! papa. Tu sais que, le dimanche matin, il est au tennis. C'est sa seule chance d'exercice.

— Bien! Bien! » fit Patrice, l'air accommodant.

Edwige était une belle personne d'une trentaine d'années. Elle ne ressemblait en rien à sa sœur Christine. Alors que Christine, de quatre ans plus jeune, était docteur en droit, Edwige avait, de bonne heure, fait savoir que sa vocation n'était pas d'intellectualité. Elle avait épousé un polytechnicien tout de suite engagé dans l'industrie, Maurice Ribeyrol, garçon autoritaire et dur qui lui avait déjà donné trois enfants, l'accusait de coquetterie et lui faisait régulièrement, deux fois le jour, une scène de jalousie, ce dont, traversant la rue, elle venait se plaindre à sa sœur et à ses frères. Tous, à cette occasion, s'étaient ligués avec Edwige contre le conjoint, contre l'étranger. Elle n'était pas coquette, mais épanouie, sensuelle et, par accès, pleurnicheuse. Sa gorge, qui était belle, valsait à chaque mouvement dans des chemisettes de soie blanche, rose ou « tango ». Elle faisait, du rouge à lèvres, un usage intempérant, en sorte qu'après son passage, on en trouvait sur les nappes, sur les rideaux, sur les stylos, sur les boutons de porte et tous autres objets usuels. Elle était en outre de ces femmes à la voix toute mouillée de sanglots qui ne peuvent engager un entretien sans donner aussitôt des renseignements voilés et pourtant clairs sur le fonctionnement de certains appareils anatomiques propres à leur sexe, ce qui avait pour résultat de provoquer de froides colères chez Christine-Véra.

Patrice Périot la regardait néanmoins avec une tendresse particulière, et parce qu'elle était l'aînée de ses quatre enfants, et parce qu'elle ne l'intimidait jamais, ce que ne laissait pas de faire l'autre, la juriste, le petit monstre-docteur, comme la nommait le père, à l'heure des attendrissements.

Le repas dominical commença donc aussitôt, d'abord parce que Mme Hortense en avait donné le signal, ensuite parce que Patrice avait déclaré une fois pour toutes que l'on n'attendrait pas les retardataires. Le repas commença dans une atmosphère de querelle, ce qui était le climat normal de la famille, même à basse température, c'est-à-dire les jours de mansuétude et de sérénité. Patrice ne prenait pas la moindre part à l'entretien. L'eût-il voulu qu'il l'eût tenté en vain. En général, la controverse s'enflammait à l'occasion de quelque déclaration de Thierry. Christine lançait des regards sombres et parlait matérialisme dialectique. Hervé ne s'intéressait pas à la politique, mais à certaine poésie abstraite, toute nouvelle, qui n'employait que les mots soutenus par des consonnes dentales et les vers de cinq syllabes. Les trois petits enfants d'Edwige regardaient venir les plats et hurlaient d'une voix plaintive : « J'en aurai pas! J'aime pas ça! » Patrice souriait à des souvenirs. Il pensait aussi : « Je leur ai demandé mille fois de ne pas mettre les coudes sur la table quand ils portent leur cuiller à la bouche, ou de ne pas laisser pendre leurs bras sous la table, comme s'ils tripotaient leurs lacets de soulier. Aujourd'hui ce sont des hommes et des femmes. Oui! des femmes! je donnerais n'importe quoi pour marier ma Christine. Moi, je n'ai aucune influence sur elle; mais un mari... D'ailleurs le mari aurait peut-être, lui, une influence détestable. Ah! les voilà qui parlent biologie maintenant! Ils vont en dire, des sottises! Tiens, tiens, l'autre... Je ne l'attendais pas avant le fromage. »

Maurice Ribeyrol venait d'entrer et, à peine fut-il assis, la querelle monta de plusieurs tons. Patrice rêvait toujours. « Clotilde aimait son prénom qui n'est pas vulgaire. Elle a voulu leur donner à tous des prénoms rares ou peu portés. Ce garçon, Maurice, le mari d'Edwige, trouvait tout cela ridicule. Il a exigé, pour les siens, des prénoms ordinaires, très ordinaires. Ils sont gentils, ces enfants, je veux dire les petits, les tout petits. Ah! les voilà de nouveau arrêtés sur la commode Louis XV. Ils pourraient quand même attendre ma mort. Moi, je veux bien la leur donner tout de suite, la commode Louis XV, mais je ne peux pas la couper en quatre... »

Après une brève passe d'armes dont l'enjeu semblait la commode, l'entretien revenait sur les sciences. Un moment le nom de Pasteur flotta, comme un fétu, sur les remous de la chamaille. D'une voix lasse, Patrice Périot dit, entre haut et bas :

« Alors, Pasteur? »

Il acheva tout bas, pour lui seul : « Voilà le massacre qui commence, le massacre universel. Et qui commence par Pasteur! Par Pasteur! »

Maurice Ribeyrol poursuivait roidement, sans regarder son beau-père :

« Il ne faudrait quand même pas nous enquiquiner plus longtemps avec Pasteur. Il est complètement dépassé, oui dépassé dans son domaine. Il a trouvé les microbes, que tout le monde aurait trouvés sans lui. Il a désavoué Claude Bernard, qui avait, lui, prévu les virus. J'ai lu des livres là-dessus. Alors, qu'on tourne la page! »

Edwige aimait ce mari mal commode. A chaque phrase, elle disait « oui », en aspirant l'air entre ses lèvres, au lieu de l'expirer. Ainsi font parfois les enfants quand ils sont préoccupés. Thierry se leva, solennel, et déclara que Pasteur était un saint. Puis le débat faillit s'achever en violence, parce que Maurice affirma qu'il

était royaliste, ce que tout le monde savait, et parce
que Christine-Véra commença de proférer, d'une voix en
lame de rasoir, des menaces de caractère sibyllin.
Patrice était maintenant très las, presque désespéré.
Ce repas dominical, il l'attendait toujours comme une
réjouissance et la réjouissance, chaque fois, s'achevait
en déception.

A deux heures et demie, tout le monde était repu.
La société se dispersa. Patrice mit son paletot et laissa
entendre qu'il allait sortir sans toutefois dire où il allait.

Il prit le métro, comme tous les jours, traversa Paris,
pénétra dans une assez minable maison du boulevard
Arago, monta quatre étages et sonna, doucement, à
l'une des portes.

Là vivait son frère qui était de cinq ans plus âgé que
lui, célibataire et pauvre. C'était un homme de caractère sombre à qui tout avait manqué : les vertus et la
chance. Deux fois par mois, Patrice lui rendait visite.
Il le trouvait au lit, égrotant et amer. Patrice lui
remettait chaque fois une enveloppe contenant un peu
d'argent. C'était, de toute la visite, qui n'était jamais
bien longue, le moment le plus pénible, celui qui
demandait une sorte de virtuosité.

« Je vois! dit le grabataire, tu es encore venu
m'apporter ton argent.

— Ma foi, oui, mon pauvre ami.

— Pourquoi « pauvre ami »?

— C'est une façon de parler. Je te parle comme je
me parle à moi-même. Je m'appelle, plusieurs fois par
jour « pauvre ami », comme cela, par amitié. »

Le malade ouvrait l'enveloppe avec des doigts trem-
blants et maladroits. Il dit encore :

« Toujours la même chose.

— Si je ne t'apportais pas cet argent, disait Patrice
d'une voix conciliante, tu m'écrirais des lettres de
reproches et tu n'aurais peut-être pas tort.

— Tu pourrais, par discrétion, me l'envoyer en mandat. Ce serait beaucoup moins humiliant pour moi.

— Tu dirais alors que je te néglige. »

Le malade déglutit une salive imaginaire et dit encore, la voix quinteuse :

« Ils te font signer des sottises, tes amis. Si, si, lis les feuilles. Mais tu ne lis pas ce que tu signes.

— Tu te trompes, répondait Patrice avec lassitude. Je ne signe que ce que j'ai lu et je pense tout ce que je signe. »

L'entretien dura quelques instants encore, puis Patrice balbutia de vagues excuses et se hâta de regagner l'air libre, le trottoir, la ville. Il marchait seul, dans la foule du dimanche et se disait, pour lui seul, des choses mélancoliques : « Comme le monde est inconfortable! Comme on est mal dans sa peau, mal dans sa maison, mal dans sa vie, mal dans son temps! Les gens qui m'aiment par intérêt me désespèrent et les gens qui semblent m'aimer de façon désintéressée me déconcertent ou m'assomment. Il faudra que je travaille, ce soir. Le travail seul me fait du plaisir et du bien. Mais je n'ai plus jamais le temps de travailler à ce que j'aime. Et puis, les produits de la vie arrêtent la vie. C'est une évidence biologique. L'âge, l'œuvre, la renommée elle-même, tout cela empoisonne la vie, tout cela entrave la vie féconde. »

Distraitement, de la pointe de sa canne, il arrêta et retint une seconde un petit nœud de démêlure d'un beau blond chaud qui avait dû tomber d'une fenêtre et que le vent chassait légèrement sur le trottoir. Il rêva sur ce frêle témoignage. Il imaginait une vie, des amours, des drames.

« Bah! dit-il en se remettant à marcher. Cela ira mieux demain! Je ne suis pas triste tous les jours et je ne sais même pas, ensuite, d'où vient l'espérance, qui vient presque toujours. Je ne demande qu'une chose, au fond, c'est qu'ils ne soient pas malheureux. Quelle ambition! Quelle ambition! »

Alors soudain, une phrase lui revint, de l'entretien qu'il venait d'avoir avec son frère malade. Et cette phrase alla rejoindre tout aussitôt un de ces propos mystérieux qu'Hervé avait lâchés, le matin même, avant l'intervention de Christine. « Qu'est-ce qu'ils veulent dire avec ces choses que l'on m'aurait fait signer? Enfin, enfin, je ne fais que ce que je veux. Je ne suis le jouet de personne. Et même si ce grand peuple malheureux se trompait, je l'accompagnerais jusque dans l'erreur, en lui disant, assurément, qu'il se trompe. Car enfin, la vérité, la vérité... »

CHAPITRE IV

Chaque fois qu'il arrivait au pied de l'escalier, Patrice Périot, si, par chance, il était seul, s'arrêtait une minute, regardait la statue de Minerve et, silencieusement, lui rendait hommage.

La déesse figurée en ce lieu paraît un peu plus petite que nature. Elle est belle et respectable. C'est une vierge et tout, en elle, exprime la pureté. Ce n'est pas une jeune vierge. La créature sous l'aspect de laquelle Minerve se manifeste a déjà plus de la trentaine; ses seins sont petits et écartés. Elle inspire le respect, l'admiration. On voudrait, au passage, lui demander conseil et assistance, mais l'escalier aspire le visiteur. Devant la statue de Minerve, l'escalier se divise, en sorte que les gens doivent opter pour la droite ou pour la gauche. Patrice Périot fit la réflexion qu'il prenait toujours les degrés de gauche et il sourit, sous sa moustache grise et rognée. « Si Ponthieu me voyait, songea-t-il, cet aimable confrère apercevrait là, sans doute, un symbole et penserait que je suis un intellectuel engagé. Mais est-il possible, à l'heure actuelle, de ne pas s'engager à quelque chose, à quelque idée, à quelque devoir? Oui, je sais, ma chère Minerve est au milieu. Elle se tient à la jonction des deux routes. Seulement, elle, notre déesse, est immobile. S'il lui fallait marcher, monter, entrer dans l'action, elle devrait choisir, elle aussi. Je sais qu'il y a l'ascenseur; mais il est là pour les gens fatigués, pour ceux qui veulent monter quand même, sans faire ni choix, ni effort. »

Patrice Périot monta quelques marches encore et murmura : « Ne nous laissons pas entraîner par les images. Ceux qui prennent l'escalier de gauche, en général, c'est qu'ils vont au secrétariat. Ceux qui choisissent la droite, c'est qu'ils vont au petit endroit, pour s'alléger avant la séance, pour faire le plein de vide... Ah! voilà Ponthieu qui me suit. La tangente! la tangente! »

Ponthieu était un savant de comportement exceptionnel. On ne pouvait, de lui, citer ni le titre d'un ouvrage, ni quelque recherche originale. Il publiait, de-ci, de-là, des articles consacrés expressément non point à des doctrines, non point à des méthodes et même à des idées, mais toujours à des personnes. Il dirigeait depuis longtemps une publication qui s'appelait *Revue internationale des sciences*. Cette revue jouissait d'un mystérieux crédit. Ponthieu avait été, sans nul doute à raison de ce crédit, élu membre de l'Institut. Il y jouissait d'une autorité non médiocre, régentait les élections et donnait des avis souverains dans l'attribution des récompenses.

Quand Patrice Périot, après un léger détour, entra dans la salle des séances, la compagnie était au travail. A dire vrai, un travail de cette sorte eût surpris grandement un étranger; mais Patrice avait, de ce lieu et de ses occupants, une pratique déjà longue et toute colorée d'indulgence. Il commença donc par apposer son nom sur la feuille de présence et s'assit, un peu au hasard, sur une chaise qui se trouvait libre. La salle était belle avec ses hautes boiseries, ses statues, ses bustes, ses inscriptions en lettres d'or. En face du bureau se trouvait un tableau noir et une étroite estrade sur laquelle pérorait un personnage debout, le

bâton de craie aux doigts, comme un professeur. La voix
de l'orateur se perdait, à peine lancée, dans le tumulte
des conversations que les membres de la compagnie
tenaient, ici et là, réunis qu'ils étaient par couples ou
par petits pelotons. Seuls quelques vieillards, la main
en cornet derrière leur oreille sourde où végétaient des
touffes de poil blanc, faisaient un effort, que l'on
devinait vain et presque désespéré, pour entendre
quelques mots et marquer de l'intérêt au savant qui
tenait la tribune. Les autres se levaient, se regrou-
paient, riaient, toussaient, donnaient tous les signes
d'un parfait détachement. Certains passaient un moment
dans la salle voisine, non pas même pour y converser
plus à l'aise, mais parce qu'ils y avaient aperçu quelque
personne qu'ils souhaitaient de rencontrer. Les journalistes, assemblés aux environs de l'estrade et du
tableau noir, prêtaient l'oreille par moment et donnaient des poignées de main aux membres de l'académie qui cheminaient nonchalamment dans l'allée
principale. Le brouhaha s'élevait, s'enflait, se déplaçait
de-ci, de-là, non sans vagues et remous, et le spectateur
novice pensait à ces synagogues, à ces temples, où
l'Éternel est présent, sans nul doute, mais où les fidèles
viennent pour parler de leurs affaires plus encore que
pour prier.

La plupart des hommes qui se trouvaient là, devant
les tables à tapis verts, avaient longtemps travaillé
dans la retraite, observé les phénomènes, édifié et
vérifié des hypothèses audacieuses. Certains avaient
trouvé des lois, inventé des méthodes, inspiré des
techniques, transformé profondément la vie spirituelle
ou temporelle de leurs semblables. S'ils se compor-
taient comme des écoliers indociles, c'était parfois
parce qu'ils étaient assurés de retrouver ce qui pouvait les intéresser dans les pages imprimées des bulletins et des livres, c'était aussi parce qu'ils réser-

vaient leur attention et leurs soins pour les choses de leur domaine élu. La science du xxᵉ siècle est trop grande et trop riche et chacun choisit sourcilleusement sa nourriture sur les pentes de cette montagne chaotique.

Patrice Périot s'assit donc, respira lentement, à sa manière, pour se reposer, pour obtenir la résolution des muscles. Cependant, il regardait ses confrères. Ceux qui ne parlaient pas et n'écoutaient pas semblaient enfoncés dans une rêverie profonde. Certains, d'un doigt investigateur, exploraient l'intérieur de leurs narines. Ils en tiraient de légères mucosités qu'ils roulaient, avec lenteur, entré leur index et leur pouce, jusqu'à la dessication, en un geste pensif, ingénu, longtemps inefficace. Certains ouvraient et lisaient des brochures posées sur les tables. D'autres s'assoupissaient sous l'effort de la digestion. D'autres encore promenaient sur l'assemblée un regard inquisiteur, observateur, inquiet. Patrice, bientôt, se prit à dessiner, ce qui manifestait, chez lui, la préoccupation. Il dessinait des bateaux, des animaux, des arches de Noé. Parfois, il s'essayait à faire le portrait de ses voisins et il y réussissait fort mal.

L'homme qui se trouvait à sa droite se pencha soudain vers lui et dit, en souriant :

« Dites donc, Périot, vous n'êtes pas tendre pour le gouvernement.

— Pas tendre pour le gouvernement? répéta Périot stupéfait. En quoi? A propos de quoi?

— Voyons, mon cher, cette fameuse protestation que vous avez signée, vous, Eymonnet et Rebufat. On en parlait, tout à l'heure, dans la cour, entre confrères... »

Patrice Périot se tourna vers son voisin, avec moins de résolution que de lassitude et le regarda bien en face, pendant quelques secondes. C'était le minéralogiste Pierquin, vieillard étrange dont le perpétuel sourire, quelque peu contracté, voilait un esprit acide, mobile, insaisissable, rétif à tout accord. Dans les assemblées de personnes remarquables, l'unanimité n'est jamais que l'effet d'une surprise heureuse. Alors même que l'assistance a manifesté son union tout au moins par le silence ou par quelque artifice comme le vote à mains levées, si l'on s'avise de provoquer un scrutin par bulletins, la fragile harmonie d'un instant se délite aussitôt. Les choix imprévus ou incohérents, les bulletins blancs abondent. Dans la solitude momentanée, les esprits se sont ressaisis; les distraits et les sourds interprètent à leur manière la question qui leur est posée. Certains, par système, par méthode, se refusent à la décision, d'autres brûlent d'un térébrant désir de marquer leur indépendance, de ne pas faire comme leurs voisins, quitte à se trouver, par la suite, des raisons déterminantes. Mathieu Pierquin était de ces derniers. De lui, toujours, il fallait attendre l'imprévisible, en sorte que Romanil disait, dans sa sagesse bougonne : « Avec Pierquin, je suis sûr d'une chose et c'est de l'insécurité. » Pierquin avait un tic étrange : il remuait sans cesse la tête de gauche à droite et de droite à gauche. Sa mâchoire, mal suspendue, amplifiait les oscillations et quand, par grand hasard, sa bouche disait « oui », son visage, obstinément, disait non. Pourtant l'intelligence brillait dans cette carcasse détraquée; le regard luisait de malice.

« Et que disiez-vous dans la cour? reprit Patrice Périot d'une voix qui se voulait placide.

— Nous pensions, par exemple, que vous êtes fonctionnaire de l'Éducation nationale...

— Et, que par conséquent, je ne suis pas un homme libre?

— Oh! nous n'en disions pas tant! Nous nous demandions seulement si un professeur en exercice a le droit de juger le gouvernement qui l'emploie, je veux dire de juger et de condamner de manière publique les actes de ce gouvernement. »

Pierquin tenait entre ses doigts un journal plié en quatre. Il y jeta les yeux et lut, s'efforçant de bien articuler et de séparer les mots :

— « *Les soussignés, considérant que le gouvernement français, en refoulant Seretti et Montecolla quand ils ont tenté de passer les frontières de la République, porte en quelque mesure la responsabilité d'un procès et d'une condamnation contre laquelle protesteront tous les amis de la liberté, jugent que ce gouvernement a porté gravement atteinte à nos vieilles traditions d'accueil et d'hospitalité...* » Vous n'avez peut-être pas tort de penser des choses comme cela, mon cher. Mais si vous vous trouviez convoqué, demain, par la direction de l'Enseignement supérieur, vous ne pourriez pas avoir l'air étonné. Voilà, moi, je vous dis cela parce que je vous connais depuis longtemps et que, d'ailleurs, nous sommes tous intéressés dans les histoires de cette sorte. »

Patrice Périot fronça les sourcils, avec effort, se gratta le cuir du menton, ce qui n'allait pas sans faire un bruit comparable à celui d'une brosse au travail et répondit avec lenteur :

« Je vous remercie, Pierquin. J'ai réfléchi, vous le pensez bien, à ces problèmes. Je ne suis pas, encore qu'il y paraisse et bien que j'aime mon pays, au service de la nation, je ne suis même pas au service de l'humanité, quoique je me sente pénétré de respect pour la malheureuse humanité...

— Alors, mon cher, vous êtes au service de qui, au service de quoi?

— Je suis d'abord au service de la connaissance. Comme vous, Pierquin, comme vous.

— Oui, c'est entendu.

— Je suis au service de la vérité, au service de la justice.

— Mon cher, vous êtes sublime! Tout cela suppose que vous possédez une définition indiscutable de ce que vous appelez la vérité, ou la justice. »

Là-dessus Pierquin secoua la tête, longtemps, à sa manière. Il dit encore, au bout d'un moment :

« Je vous admire. Et puis, vous savez que tout cela m'est égal. Moi je ne fais pas de politique. »

Là-dessus il se tourna délibérément vers son autre voisin. Patrice recommença de dessiner des éléphants et des girafes; mais une sourde inquiétude venait de le saisir. L'idée d'une réprimande ne l'avait même pas effleuré. Elle aurait peut-être suffi, songea-t-il, à le confirmer dans sa position. Toutefois, il ne se rappelait plus fort bien la teneur du texte qu'il avait signé, chez lui, l'autre soir, en présence de Romanil. Cette allusion au refus opposé par les pouvoirs publics, il y avait dix mois, quand les deux agitateurs s'étaient présentés à la frontière... Avait-il vraiment lu cela? Ou bien n'y avait-il prêté aucune attention? Si le gouvernement avait refusé l'asile à des hommes traqués, il n'était pas inopportun de le dire, sans doute. Le seul problème était de savoir si Patrice Périot avait bien lu cela; et s'il ne s'en souvenait pas, c'était quand même très fâcheux. C'était quand même un troublant symptôme de fatigue. Enfin, il fallait encore considérer le cas où le texte aurait été modifié alors que Patrice Périot y avait apposé déjà sa signature.

Cette dernière hypothèse, pour absurde qu'elle parût de prime abord, ne laissait pas de tourmenter Patrice Périot. Il en était maintenant à dessiner des chats qui ressemblaient tantôt à des poupées et tantôt à des singes. Cependant les orateurs s'étaient succédé devant le tableau noir et continuaient de clamer dans le désert, dans le désert du tumulte. Et, tout à coup, Périot aperçut, à l'autre extrémité de la salle, assis dans l'ombre, sous les fenêtres étrangement ouvertes

dans l'altitude, Patrice Périot aperçut Rebufat ou
plus exactement le crâne de Rebufat le mathématicien.

Rebufat était l'un des signataires de l'appel, de ce
bref texte d'une page qui s'appelait, en effet, *Appel à la
conscience française*. Patrice Périot se leva, abandon-
nant sur la table tous les dessins des animaux et de
l'arche. De groupe en groupe, s'efforçant de n'être
point arrêté au passage, il gagna le fond de la salle et
vint s'asseoir à côté de Rebufat.

Noël Rebufat était un homme long et maigre dont
le visage perpétuellement contracté semblait exprimer
quelque mortification profonde et la crainte de nouveaux affronts, à venir et pourtant inévitables. A voir
Noël Rebufat, on était sûr que, de quelque manière
qu'on l'abordât, on ne pourrait manquer de lui porter
dommage, qu'il le redoutait et l'attendait sans résigna-
tion, les griffes à demi sorties. Il était totalement chauve
et, d'année en année, il avait pris, du poil, une horreur
maladive. Un cheveu sur un vêtement représentait à
son regard, objet de scandale. Un cheveu sur sa table
de travail l'eût éloigné pour longtemps de toute spécula-
tion efficace. Il avait, alors qu'il semblait au regard de
tous un célibataire convaincu, épousé une Russe blanche,
rencontrée à Varsovie, après la première guerre mon-
diale, pendant un voyage d'études. Cette dame était
de ces Russes exilés qui vomissaient les bolchevistes
et qui, toutefois, avaient salué, dans leur cœur, par
des hymnes d'orgueil, le jour où les troupes polo-
naises avaient été taillées en pièces par la cavalerie
rouge de Boudienny, par cette cavalerie qui était peut-
être rouge, mais qui était avant tout russe. Par amour
de la sainte Russie, et tout en exhalant son amertume à
l'égard des soviétiques, elle avait, petit à petit, amené
son savant de mari à se comporter en sympathisant
communiste : il n'en est pas de plus enflammés. On

demande tout à un homme du parti. On peut demander plus que tout à un sympathisant. Le trémulant et oscillant Mathieu Pierquin disait parfois à Patrice Périot, sans contenir ses grimaces : « Tous les intellectuels français qui ont épousé des Russes blanches sont devenus des hommes d'extrême gauche, ou parce qu'ils aimaient leur femme, ou parce qu'ils la détestaient. »

Patrice Périot vint donc s'asseoir auprès de Rebufat et attendit un moment avant d'engager l'entretien : il connaissait le personnage et préparait ses voies d'accès. Enfin, pour vaincre la timidité que lui inspirait ce confrère acariâtre, il attaqua soudainement :

« Dites-moi, Rebufat, quand on a présenté cet appel à votre signature, l'autre semaine, avez-vous bien lu le texte?

— Pensez-vous, dit avec aigreur le mathématicien, que je signe n'importe quoi?

— A vrai dire, murmura Périot, je l'ai lu moi-même, et fort soigneusement. Il ne me souvenait toutefois pas de cette allusion à ce qu'aurait fait le gouvernement français en refoulant les deux malheureux.

— A ce qu'aurait fait... Vous êtes extraordinaire! En parlant ainsi vous avez l'air de douter de la mauvaise action commise par tous ces gaillards qui nous déconsidèrent et sont en train de faire perdre au pays ses dernières chances. »

Périot resta quelques moments dans le silence. Décidément, ce Rebufat méritait son nom qui avait on ne savait quelle sonorité d'algarade.

« Les rédacteurs de l'appel, dit soudainement Rebufat, avaient oublié de mentionner le refoulement de Seretti et de Montecolla. Je les ai priés d'y faire au moins une allusion. J'étais bien sûr, agissant ainsi, de rencontrer votre approbation pleine et entière. Je ne pensais pas que je pourrais me tromper.

— Non, non, dit Patrice Périot en tirant sur son

gilet. Non, je ne parlais pas de cela. Puisque c'est la vérité, la vérité historique, vous avez bien fait. Mais...

— Mais quoi? »

Périot ne répondit rien. Il éprouvait une gêne complexe dans laquelle il y avait de la fatigue, de l'inquiétude, le sentiment qu'il était en train de perdre le contrôle de certains de ses actes, peut-être même de certaines de ses pensées. Il se leva bientôt et regagna sa première place, pour fuir le voisinage de ce compagnon hargneux. Au passage, Clément Romanil lui mit entre les doigts un de ces petits papiers que l'on trouve sur les tables et qui servent à prendre, éventuellement, des notes. Patrice l'ouvrit en s'asseyant et lut ces phrases qu'il trouva mystérieuses : « Défie-toi de ta main gauche parce qu'elle est malhabile. Défie-toi de ta main droite parce qu'elle est généreuse. »

Il haussa doucement les épaules puis, de loin, fit à Romanil un geste amical et vague. Il pensait : « Romanil est un poète. Ça ne tire pas à conséquence. »

Un moment plus tard, voyant Romanil se lever, il quitta tout aussitôt la salle et rattrapa son ami dans la galerie des bustes. Ils descendirent l'escalier en se tenant par le bras.

« Même si tu n'as rien à me dire, murmura Patrice, aie l'air de me parler pour qu'on nous laisse un peu tranquilles. J'en ai assez, pour aujourd'hui, de ces messieurs. »

En arrivant dans la cour, Romanil s'arrêta sur les marches du perron, considéra les voitures rangées le long des murailles et dit, gonflant ses joues de vent, le regard bourru :

« Moi, je suis encore du temps où les savants étaient pauvres. Autrefois, et je ne parle même pas de ma prime jeunesse, autrefois, il n'y avait pas beaucoup de voitures, ici, les jours de séance. Aujourd'hui, la moitié de nos confrères ont des relations dans l'industrie, dans les affaires. Je ne le leur reproche pas. Mais le visage de la science m'apparaît tout différent de ce qu'il était à l'époque de mes études et je ne le reconnais plus.

— Notre spécialité, à tous deux, fit Patrice d'une voix conciliante, notre spécialité nous met à l'abri de presque toutes les alliances... comment dire... avantageuses. »

Il sentit qu'il rougissait un peu, ce dont il ne se croyait plus capable, non que l'âme fût endurcie, mais parce que ses artères étaient moins souples, et il ajouta, baissant la voix :

« Moi, je n'ai rien à dire : j'ai reçu le prix Gordon Pain. Sais-tu que ma femme avait eu l'idée de laisser l'argent en Amérique? Grâce à cette sage précaution, j'ai pu aider mes enfants et garder la maison de Jouy-le-Comte qui pèse quand même assez lourd sur notre budget. »

Clément Romanil éclata de rire :

« Que vas-tu t'imaginer! Mais, mon cher ami, même avec ton prix, tu restes, comme moi, un savant à l'ancienne mode, un savant désintéressé. Et puis, tu sais, le prix, si j'avais eu à le donner à quelqu'un, à le donner moi-même, eh bien, tu l'aurais eu. De nous tous, je veux dire les biologistes, c'est toi qui le méritais le mieux, toi qui le mérites encore le mieux. »

Sans répondre, Patrice Périot saisit le bras du gros homme et tenta de le serrer, pour tromper son émotion. Il y réussit assez mal, car c'était un très gros bras. Romanil dit en souriant :

« Alors, tu me pinces, maintenant! Tu te rappelles ce que disait Nicolle... c'est de Charles que je parle, je n'ai guère connu son frère. Il disait : « Il est difficile de « faire du mal avec la biologie, du moins pour l'instant. » Il ne croyait pas à la guerre microbienne. Eh bien, il se trompait, notre Nicolle. On peut faire du mal avec tout, même avec des paroles de paix, même avec des paroles de charité. Et je ne dis pas cela pour ton truc, pour ton manifeste... Viens-tu, puisque nous sortons ensemble, jusqu'à la Sorbonne, assister à la « commission des études pour la normalisation des appareils de mesure, etc.? »

— Non, dit résolument Patrice. On me nomme membre d'une foule de commissions, président d'une foule de comités. Les trois quarts du temps, je ne sais même pas de quoi il s'agit. Je ne donne pas mon nom : on me l'arrache. Ce que je dis ne signifie pas que ces commissions soient toujours inutiles. Il y a là-dedans, en général, un gaillard qui suit une idée à lui et qui nous prie, nous autres, de faire tapisserie. Mais je n'assisterai pas à la réunion dont tu parles. Je veux travailler, ce soir. J'en suis à rédiger mon travail. Non, je n'irai pas.

— Moi non plus! s'écria Romanil d'une voix explosive. Nous sommes encore, toi et moi, des types capables d'invention, nous pouvons faire encore œuvre, oui, œuvre de créateurs. Et je te répète que je ne dis pas cela pour te détourner d'aller sur tes estrades, dans tes réunions publiques. Non! Je me suis promis que je ne t'en parlerais plus. Tiens! voilà ton autobus! Tu le prends ou tu ne le prends pas? Tu le prends! Alors adieu, mon bon ami. »

De retour chez lui, Patrice Périot trouva son fils Thierry debout sur le fauteuil du cabinet de travail, sur le fauteuil au bras mutilé.

« Qu'est-ce que tu fais là, Thierry? dit le savant. Tu veux tuer la mouche, peut-être. »

Même au cours de l'hiver, il y avait toujours une mouche solitaire et silencieuse qui tournait en rond, sous le plafonnier. Cette mouche, mystérieusement relayée à travers les ans, jouissait, dans la famille, d'une considération totémique. Tout le monde la respectait, même la sourcilleuse Mme Hortense. Et quand la mouche venait à s'absenter une minute, il y avait toujours quelqu'un, dans la maison, pour le remarquer. Mais la mouche ne tardait point à reparaître et elle recommençait à décrire des cercles mélancoliques.

« Tuer la mouche! cria Thierry, moi! Tuer la mouche! Non, je la consulte. Et puis je suis si heureux que j'avais grand besoin de monter sur quelque chose.

— Tu es heureux, mon cher garçon? J'en suis enchanté.

— Oui, je viens de me disputer avec Christine.

— Et tu es heureux, toi, mon petit Thierry, parce que tu t'es querellé avec ta sœur!

— Une noble querelle, papa! Une pure et noble querelle! Christine, qui sait tout — elle est terriblement intelligente — m'a dit que des savants comme Cuénot et comme toi vous étiez en train de vous égarer dans le finalisme. — Vous égarer! c'est elle qui parle, tu comprends! — Je lui ai demandé de me dire qui était Cuénot. Elle s'est moquée de moi. Alors, j'ai commencé de chanter le *Magnificat* et on s'est un peu disputé. »

Le jeune homme venait de sauter à terre. Il saisit son père à bras-le-corps et dit, l'air extasié :

« Tu nous viendras, papa! Tu finiras par venir à nous et, ce jour-là, il y aura de la joie dans le monde entier et même dans le Paradis. Alors, tu seras le plus grands des grands!

— Mon cher enfant, fit Patrice Périot en haussant les épaules, tu emploies le mot de « grand » à tort et à travers, comme tous les gens de ta génération, soit dit sans le moindre reproche.

— Papa, s'écria le jeune homme avec une flamme dans les yeux, papa, je t'aime et je t'admire...

— Tout cela n'est pas bien raisonnable, vois-tu?...

— Le jour où Dieu te parlera, tout doucement, à

l'oreille, ce jour-là, il me semble que j'entendrai aussitôt les trompettes du ciel. »

Patrice Périot s'était laissé tomber dans le fauteuil infirme. Il faisait craquer les articulations de ses doigts, d'un air perplexe. Il pensait : « C'est Thierry qui me donne, à tout prendre, le moins de souci. Pourtant il est un peu fou, comme les autres, comme les trois autres. » Il poursuivit tout haut :

« Thierry, mon garçon, bien que tu fasses des études de sciences, tu n'es pas énormément curieux. Je ne te reproche rien. Mais enfin, tu n'as jamais rien lu de ce que j'ai publié.

— Excuse-moi, papa. J'ai si grande confiance en toi que je n'ai pas besoin de lire ce que tu écris : il me semble que je le comprends par l'intérieur, par le cœur, par la fibre. A la pensée que « tu tombes dans le finalisme », comme dit Christine, je ne peux pas m'empêcher, moi, de monter sur les meubles et de chanter des actions de grâce. *Magnificat anima mea...*

— Mon cher garçon, du calme! On va se demander ce qui se passe et si nous ne sommes pas tous des aliénés, dans cette maison. Et maintenant, laisse-moi tranquille avec le finalisme. Nous reparlerons de tout cela plus tard, quand tu sauras plus de choses. Laisse-moi seul, Thierry. »

Le garçon sortit de la chambre en chantant et Patrice l'entendit encore un certain temps qui s'époumonait tout au long des couloirs. Patrice Périot avait cessé de sourire. Il pensait : « Si le gouvernement a refusé d'accueillir ces malheureux, le gouvernement a eu tort. Mais, quand même, Rebufat aurait pu me donner un coup de téléphone. C'est de la désinvolture. »

CHAPITRE V

Vint le temps de Pâques et une paix miraculeuse visita l'esprit de Patrice Périot. Depuis plus de vingt ans, Patrice Périot avait accoutumé de faire retraite au seuil du printemps. Il quittait alors Paris et se réfugiait dans la maison de Jouy-le-Comte, achetée jadis avec la dot de Clotilde et conservée depuis grâce à des prodiges d'économie. C'était une maison ancienne, d'apparence médiocre, mais pleine de meubles vieillots dont les enfants se moquaient un peu, auxquels pourtant ils étaient attachés et dont ils se disputaient d'avance la possession, non sans ingénuité, même en présence de leur père. La demeure était gardée par un couple de vieilles gens. Elle régnait sur un grand jardin sauvage et sur une prairie d'où l'on découvrait la vallée de l'Oise.

Patrice, donc, chaque année, laissant le laboratoire aux soins d'élèves zélés qui devaient surveiller les expériences en cours, Patrice prenait le train, à la gare du Nord, en compagnie de Mme Hortense. Patrice avait d'abord tenté de voyager en seconde classe, comme il faisait au temps de Clotilde. Il y avait renoncé, disant : « Les gens des troisièmes sont nature. Ceux des secondes disent des sottises. Ceux des premières ne soufflent pas mot. J'aime encore mieux les troisièmes. » Ce choix était interprété par Mme Hortense comme une lamentable mesure d'économie. Elle disait : « Le professeur ne craint donc pas de se déconsidérer? » Le train s'élançait dans les bourrasques du printemps et Patrice pensait avec ivresse à cette sainte solitude au sein de laquelle il allait se retremper. Parfois, Mme Hortense le morigénait, à voix basse, mais ferme : « Le professeur ne m'a pas signalé que son pantalon commence à se déchirer. Je ne peux pas penser à tout. Que le professeur veuille bien faire attention à ses vêtements! » Patrice bredouillait des excuses. Il songeait : « Quand ce n'est pas Hortense, ce sont mes enfants qui me réprimandent ou bien c'est Gérin-Labrit, ou même Schlemer, ou encore le vertueux Rebufat. Tous, au bout du compte, tous! Et quand ils ne songent pas à me reprocher quelque chose, alors je le fais moi-même. C'est étonnant, la vie... » Là-dessus, il songeait à la campagne d'avril et aux bienfaits de la vie érémitique.

Mme Hortense revenait à la surface de l'univers pour demander que la fenêtre du compartiment fût parfaitement close. Dès qu'une fenêtre se trouvait mal fermée, dans les lieux où vivait Mme Hortense, on entendait cette personne éternuer avec ostentation. Mme Hortense manifestait en tout une distinction souveraine, sauf dans l'éternuement, acte réflexe pour lequel on la voyait perdre toute retenue. Patrice Périot fermait donc la fenêtre en sollicitant d'un regard éloquent l'indulgence des voisins. Mme Hortense déclarait alors, d'un ton péremptoire : « Le professeur a trop chaud. Il a de la chance. Moi, j'ai l'onglée aux doigts et au bout des seins... » Patrice Périot connaissait la formule et ne doutait pas que son mentor eût des ongles partout, même à la pointe des mamelles. Il avait perdu, depuis longtemps, l'habitude si naturelle de confesser ses menues misères. Il savait que s'il perdait le contrôle de lui-même jusqu'à se plaindre d'un léger mal de reins, Mme Hortense, inflexible, répondrait : « Et moi donc! Le professeur, qui est d'excellente santé, ne peut même pas se représenter ce que je souffre. » Patrice Périot, en telle occurrence, pensait : « Au fond, c'est peut-être une façon de me marquer sa sympathie. Si d'aventure, quand il m'arrive de me plaindre, elle répondait : moi je vais parfaitement bien, ce serait assez cruel. Alors? »

Mme Hortense disait encore, roidissant sa voix d'institutrice : « Nous ne mangerons presque rien, ce soir. D'ailleurs je suis un peu souffrante. Le professeur mange trop et prend trop peu d'exercice. » Patrice Périot approuvait, de la tête. Il savait que, s'il s'aventurait à formuler une objection, Mme Hortense y trouverait prétexte à des rancunes perdurables et que, le lendemain matin, on lui présenterait le plus vieux godet de beurre, sous le prétexte que ce beurre-là devait passer avant le beurre frais, si l'on ne voulait pas le laisser perdre. Alors il s'efforçait, jusqu'à la fin du voyage, de discourir sur des thèmes insignifiants, et de parler quand même assez, parce qu'un silence absolu pouvait être considéré comme le signe d'un injustifiable mécontentement. Il se gardait surtout de faire l'éloge de qui que ce fût, Mme Hortense, en de telles conjonctures, ayant une pente à se trouver atteinte dans une sorte d'exclusivité. Pour finir, le train s'arrêtait en gare de Parmain et Patrice Périot se félicitait à l'idée que le voyage s'était déroulé sans complications trop sérieuses. En aidant le vieux gardien à charger ses valises sur une brouette, Patrice Périot pensait : « La fréquentation des intellectuels me fatigue assez vite. Je me réfugie alors volontiers auprès de ceux que l'on appelle les gens simples. Je me demande parfois si les gens simples ne sont pas plus compliqués que les autres, pour qui veut bien regarder dans les plis. Malheureusement, en outre, les gens que l'on dit simples sont trop loin de mes soucis ordinaires. Alors je me retourne, tout naturellement, vers les intellectuels, mes frères et mes

semblables, vers mes horribles frères, les intellectuels.
Non, la vie n'est pas unie. Je devrais le savoir, depuis
le temps... »

Alors c'était la maison, la joie presque religieuse de
retrouver les objets, fidèles, à leur place, le bonheur
d'allumer un feu de bois dans la cheminée, l'enivrante,
poignante et délicieuse odeur des souvenirs.

Patrice, les mains aux poches, se promenait dans le
jardin qui commençait timidement à verdoyer. Il
reconnaissait, au passage, toutes les plantes et leur
dédiait à chacune des pensées de gratitude. Il regardait
et comptait les arbres avec une pieuse émotion. Chaque
année, un arbre mourait et Patrice Périot pensait :
« Les enfants, les jeunes gens ne savent pas que les
arbres meurent. Il faut vieillir, avancer dans la course,
pour saisir cette solidarité de tous les êtres vivants
entre eux. » Et, tout de suite, sa pensée se trouvait
ramenée sur les sentes familières : « Mon Thierry va
m'annoncer, un jour ou l'autre, qu'il veut se faire
prêtre ou peut-être moine. Cela me serre le cœur par
avance. Et pourtant, ce n'est pas moi qui le détournerai d'une vie contemplative. Il paraît que je suis un
savant engagé... Peut-être. A vrai dire, je suis un solitaire exilé dans la foule. Ici, dans le silence de cette
campagne, tout m'apparaît simple, tout m'apparaît
compréhensible, même les lois de cette nature dont
l'intelligence n'a aucun rapport avec la nôtre, avec
notre raison à nous les hommes. »

Là-dessus, Patrice Périot s'arrêtait longuement
devant une limace précocement sortie des profondeurs.
Il savait que, dans ce climat humide, le climat de la
vallée, les limaces étaient des ennemis; mais, vrai,
l'idée de célébrer le premier jour de la solitude philosophique par un petit meurtre l'indisposait. Il passait
à côté de la limace en murmurant : « Pas aujourd'hui!
Mais, demain, elle ferait mieux de se cacher. »

Patrice cherchait son couteau de poche pour se couper une badine et il était profondément troublé : ce couteau qu'il mettait toujours, sans la moindre distraction, dans la poche de droite, voilà qu'il l'avait mis dans la poche de gauche. C'était grave. Il en était remué pendant une minute entière. Puis le biologiste reprenait l'avantage. « Qui donc a dit que la nature ne fait pas de saut? C'est Leibnitz, peut-être. En voilà une belle sottise! La nature ne procède que par bonds et désordres soudains. Je ne suis pas un mutationniste forcené. N'empêche que les mutations existent. Je le comprends, moi qui me trompe de poche, avec mon couteau. La nature fait des erreurs, elle manque soudain à de vieilles habitudes et il en résulte un monstre... Comme je suis tranquille ici, tout seul! Comme ce silence me rend à moi-même! »

Il passa deux journées entières dans cette paix. Le matin du troisième jour, il dit en faisant sa toilette : « Tous les jours la même chose. Tous les jours se laver, se raser, se nourrir. Je commence à trouver cela monotone. Ce n'est pas amusant d'avoir à prendre soin, chaque matin, de cette carcasse exigeante. Qu'il m'arrive de changer la lame de mon rasoir ou ma brosse à dents, je goûte un léger plaisir. C'est un divertissement. Quelle confusion! Quelle honte! »

Il avait donné, dès le début de cette retraite, des consignes impératives : « Si l'on appelle au téléphone, je suis absent. » Le troisième jour donc, le téléphone se fit entendre et Mme Hortense répondit, d'une voix inflexible, que le professeur n'était pas là. Patrice Périot survint quelques minutes plus tard et demanda :

« Qui donc vient d'appeler? Personne, heureusement, ne connaît mon numéro...

— J'ai répondu que le professeur n'était pas à Jouy-le-Comte.

— Mais qui donc a téléphoné?

— Le secrétaire de l'Association pour la liberté de la culture, si j'ai bien compris.

— Ah! murmura Patrice Périot. Dommage! Il est entendu que je suis absent, sauf pour ces gens-là. J'ai quelque chose à leur dire.

— Désormais, répondit Mme Hortense d'une voix souterraine, je dirai que le professeur est là, mais qu'il m'a priée de dire qu'il n'était pas là.

— Non, balbutia Patrice Périot... Vous direz, madame Hortense, que vous allez voir si je suis encore à la maison.

— Et s'ils annoncent qu'ils vont vous rappeler? »

Patrice Périot leva les bras en signe d'embarras :

« Vous ferez pour le mieux, madame Hortense. »

Pendant cette journée, la troisième de sa retraite, Patrice Périot commença de se demander si ses enfants allaient l'honorer d'une visite. Il maugréait, en piaffant devant sa table de travail : « Mes enfants sont ce qu'ils sont. Ils ont des défauts, sans doute. Ils font quand même partie de ma solitude. Je voudrais bien les voir arriver. Et s'ils arrivent, ils ne briseront pas ma chère solitude. D'ailleurs, j'ai toujours travaillé dans le bruit et même dans le vacarme. »

Un peu plus tard, après avoir fait craquer, une à une, toutes les articulations de ses doigts, il se chercha des consolations sans toutefois avouer qu'il en avait besoin. Il disait : « Je ne jouis pas, maintenant, de cette période un peu torpide comme je devrais en jouir. C'est plus tard que j'en jouirai, plus tard, dans le souvenir. Elle va mûrir et se bonifier en vieillissant. »

Il commençait à bâiller devant la feuille blanche, quand il entendit le ronronnement d'une voiture. C'était Edwige et Maurice Ribeyrol. Ils venaient déposer leurs trois enfants et repartaient tout aussitôt pour la Bretagne où se tenait un congrès d'ingénieurs. Par chance, ils avaient, avec les enfants, amené leur bonne,

fille languissante que Mme Hortense méprisait et
dont elle disait volontiers : « Cette demoiselle vient
m'aider; le résultat est qu'il me faut soigner quatre
personnes au lieu de trois. » Patrice Périot accueillit
ses petits-enfants avec une gratitude jubilante. Entre
temps, il aperçut le regard de Mme Hortense et il eut
le temps de penser : « La paix du monde! Je demande
la paix du monde! Mais je voudrais bien faire d'abord
régner la paix entre Hortense et... comment s'appelle
cette demoiselle? Je ne sais jamais. Ils changent trop
souvent de personnel. »

Les Ribeyrol passèrent deux heures à Jouy-le-Comte.
Juste le temps de déjeuner et de revoir leur voiture. Au
milieu du déjeuner, Christine arriva de Paris et, heureusement, il y avait encore de la nourriture. Une
conversation s'engagea tout aussitôt à laquelle Patrice
Périot ne prit aucune part.

« Tu n'as pas lu, disait Ribeyrol, l'article de *L'Occident*. Eh bien, tu as eu tort. Lavernède dit que lorsqu'un
savant fait de la politique, c'est qu'il est vidé.

— Sauf, bien évidemment, répliqua Christine-Véra
d'une voix sifflante, sauf si c'est de la politique de droite,
la politique de tes amis... »

L'entretien se prolongea sur ce thème épineux; mais
Patrice n'écoutait pas. Il avait neutralisé le virus dès
les premiers mots en pensant : « Ce Maurice n'a pas
absolument tort. C'est le cas de Rebufat et des mathé-
maticiens en général. Et puis, moi, je ne fais pas de
politique. »

Après le déjeuner, les Ribeyrol remontèrent en auto
sans perdre une minute et détalèrent. Patrice Périot
s'assura que les petits enfants étaient installés et
nourris. Puis, avant de regagner sa chambre de travail,
il fit, avec Christine, un tour de jardin.

« Restes-tu? demanda-t-il timidement. Restes-tu
quelques jours avec moi?

— Non, dit Christine. Je reviendrai dimanche et je resterai quelques jours, si mon travail me le permet. »

Elle gardait la bouche ouverte à demi, ce qui n'était pas de son comportement ordinaire. Patrice comprit qu'elle était venue pour lui parler d'un sujet particulier qu'elle n'abordait pas sans hésitation. Il attendit, humblement, le cœur serré, malgré qu'il en eût.

« Papa, murmura soudain le petit monstre-docteur, papa, surveille Hervé.

— Tu es extraordinaire, dit Patrice Périot. Ton frère échappe à toute surveillance. Que sais-tu? Qu'y a-t-il encore?

— Hervé, dit Christine de sa voix coupante, Hervé est embarqué avec des gens... qu'il m'est difficile de qualifier. Des gens qui vont achever de le rendre fou.

— Mais quelle sorte de gens, mon enfant? »

Elle répondit, durement, les dents serrées :

« Des maîtres chanteurs, des joueurs, des invertis...

— Des...

— Je dis des invertis. Enfin, il paraît que c'est ainsi que cela s'appelle. Moi, je ne suis pas spécialiste de cette sorte de problèmes.

— C'est affreux, bégaya Patrice Périot, affreux, ce que tu dis là. Mais a-t-on des preuves? »

Le petit monstre-docteur considéra son père avec commisération.

« Papa, le jour où l'on a ce que tu appelles des preuves, il est un peu tard pour trouver un remède.

— Mais, mais... bredouilla Patrice Périot, où vas-tu, mon enfant?

— Je m'en retourne à Paris, papa. Je suis venue pour déjeuner avec toi.

— Et pour me dire, pour me dire...

— Pour te dire ce que tu dois savoir. C'est tout. »

Un moment après, Christine-Véra franchissait la porte de l'enclos, dans sa petite voiture qu'elle conduisait elle-même et qu'elle conduisait bien. Patrice, consterné, fit le tour du jardin. Il avait souhaité de voir ses enfants, et ses enfants venaient de passer comme une tornade. Il pensa qu'Hervé ne manquerait pas de venir pendant les fêtes, qu'il ne fallait rien brusquer : mais il était saisi d'angoisse; la belle campagne d'avril demeurait soudain sans vertu. Il remonta dans sa chambre et s'assit de nouveau devant sa table. Il se réfugia dans son travail comme au fond d'une très profonde caverne. Il écrivit en marge, sur l'envers d'une feuille, pour son propre allégement, cette phrase qui n'avait, sans nul doute, aucun rapport avec le texte du livre : « Ce n'est pas l'usage qui déchire la chemise, c'est le blanchissage. Ce n'est pas la maladie qui ruine l'organisme, la moitié du temps, ce sont nos remèdes. Ce n'est pas le travail qui nous consume, c'est le plaisir. » Il ajouta, plus bas : « En ce cas, je peux vivre vieux. Tant pis! »

A la chute du jour, il sortit de nouveau dans le jardin, parce qu'on baignait les petits enfants et que cela faisait grand bruit. Il s'étonna d'avoir pu persévérer dans sa difficile besogne de rédaction; mais toutes ses pensées se déroulaient sur un fond noir et fumeux. « Hervé! Hervé! mon malheureux petit Hervé! C'est impossible! »

Il murmurait, en marchant dans le jardin rafraîchi par une giboulée : « Je crois que mes enfants me respectent; mais s'ils ne me respectaient pas, ils n'agiraient pas autrement que je les vois agir. Je crois qu'ils m'aiment, et c'est étonnant comme leur amour ressemble à l'indifférence. Quand ils ne sont pas là, ils me manquent. Et quand ils sont là, il me manque encore quelque chose. Et c'est... comment dire? il me manque l'idée que je me fais d'eux quand je les attends. »

Ce jour-là, Patrice Périot se coucha tard, ne dormit pas, se releva pour travailler encore et pensa, vers le petit jour : « Si je suis heureux, je dors et je ne fais rien.

Le bonheur n'est peut-être pas le climat du travail fécond. Il faudrait consulter les historiens, les biographes. Et même ce qu'ils diraient pourrait ne rien signifier pour nous autres. »

La toilette faite, et pendant que Mme Hortense époussetait la table de travail, il alla voir les trois bébés qui jouaient dans leur lit. La nurse mélancolique était à la cuisine. Patrice prit un des petits sur ses genoux et commença de le contempler avec une perplexité mêlée de désespoir. Il disait, parlant pour lui-même : « Il y en a qui n'ont pas d'enfants et qui sont sûrs d'avoir trouvé la bonne solution. Comme ils doivent souffrir de ne pas souffrir! Comme ils doivent souffrir de n'avoir à penser qu'à leur chère carcasse, à leur belle âme! »

Le petit entendit les derniers mots et répéta : « Qu'est-ce que tu dis, grand-père? C'est quoi? C'est quoi? »

Patrice reposa l'enfant dans le petit lit et s'en fut au jardin, puisque c'était là, dans l'herbe et dans le vent, qu'il trouvait quelque répit. Il songeait à son vieil ami Romanil, qui était demeuré célibataire, inexplicablement, car il aimait les enfants des autres. Romanil avait une vieille maîtresse avec laquelle il ne vivait pas et qu'il allait voir, à la fin du jour, une ou deux fois la semaine. Il passait là deux heures à palabrer, à quereller un peu. Depuis beaucoup plus de trente ans, ces visites assouvissaient chez le savant tout besoin de présence féminine. Romanil appelait cette vieille amie « calme sœur ». Mais la dame n'avait jamais lu Mallarmé : elle ne ressentait donc point cette allusion aux taches de rousseur qui avaient échauffé son teint avant l'apparition des taches sombres de la vieillesse. Patrice Périot songeait, en marchant de long en large, sous les bouquets des cerisiers : « Se peut-il que Romanil ait agi plus sagement que moi? Eh bien, je n'en suis pas sûr. Il ne souffre sûrement pas de son infécondité; mais il y a des choses qu'il ne sait pas. Même les problèmes de la vie — mon grand souci, mon vrai travail, — il me semble que, pour les aborder, il n'est pas inutile d'avoir soi-même engendré la vie, de se trouver, soi-même, compromis avec la vie. »

Patrice Périot fut tiré de ses réflexions inquiètes par une visite inattendue, celle d'un bonhomme qui, dix années plus tôt, lui avait demandé un service non médiocre, celui de lui trouver un emploi qui devait être, très exactement, para-universitaire, service que Périot, à force d'ingéniosité, d'humanité, de bonne grâce, avait fini par rendre, et pleinement. Le bonhomme, nanti, n'avait, depuis, cessé de revenir à la charge. Quatre ou cinq fois par an, il se manifestait et toujours pour demander assistance. Il disait des choses impudentes et autoritaires. Il disait : « Mon sort est une fois de plus entre vos mains, mais je connais votre cœur et je ne doute pas de vous. Faites pour moi, mon cher maître, ce que vous feriez pour vous-même. Vous devez connaître les bonnes recettes, vous qui êtes arrivé. » C'étaient là des arguments désagréables, mais sans réplique et Patrice Périot cédait chaque fois en murmurant : « Comme je suis sans défense! » Il fut quand même exaspéré de cette visite. Il ne pouvait pas renvoyer à Paris après une minute d'entrevue un bonhomme qui venait de faire une heure de train. Il le reçut, debout, dans le jardin, en marchant. Le visiteur entra tout de suite dans le vif de l'entretien : « Des amis pensaient demander pour lui la croix de la Légion d'honneur. Le professeur Périot, qui avait tant fait déjà, ne refuserait pas d'écrire au ministre, et même à la chancellerie et peut-être à d'autres personnes influentes que lui, le professeur, connaissait assurément, lui qui jouissait d'une gloire universelle... » Patrice Périot rappela timidement qu'il était lui-même

officier de l'ordre et rien de plus. Le visiteur, souriant
d'un air opiniâtre, revenait toujours à la charge : « Oui,
vous, monsieur le professeur, vous avez d'autres titres.
Vous n'avez pas besoin de cela. Mais moi, ce n'est pas
la même chose. Vous ne m'avez jamais abandonné dans
mes épreuves... »

Patrice regarda le bonhomme. Le mot d'épreuve
n'était sans doute pas exagéré, car le visiteur semblait
en proie à une idée fixe : le front houleux de grosses
rides mobiles et l'œil accommodé sur les cailloux du
chemin. Patrice Périot fit pénétrer l'éternel postulant
dans sa chambre de travail, non sans malaise. Il écrivit
une lettre, puis deux lettres, puis trois lettres. Il
pensait : « Le crédit moral, c'est comparable à l'argent.
Je suis en train de faire d'absurdes dépenses. » Satisfait,
le bonhomme se laissa reconduire à la grille.

Patrice regagna la maison, exaspéré, les poings en
boule. Il tomba sur Mme Hortense et dit :

« Il fallait répondre à ce raseur que je n'étais pas
là, ou que j'étais malade.

— Je ne peux jamais savoir, répondit Mme Hortense
avec rancune. Le professeur reçoit toujours ce monsieur
avec tant de bienveillance, comment puis-je m'y reconnaître? »

Patrice Périot s'assit devant sa table en gémissant,
dans le secret de son esprit : « Je suis en train de consi-
gner les résultats d'un travail qui m'a demandé dix
années. Et la visite de ce gaillard va me gâter toute
ma journée, peut-être. Où se cacher? Où fuir? »

Il fit de longues aspirations, sentit se relâcher ses
muscles, écrivit, comme toujours, sur la page de gauche
de son cahier, des phrases qui n'avaient aucun rapport
avec le travail en cours mais dont il avait le sentiment
de se délivrer par excrétion. Il appelait d'ailleurs cette
page de gauche, ce verso, l'exutoire. Il écrivit : « Les
philosophes professionnels ont, pour principale fonc-

tion, de traduire les vérités du temps en langage hermétique, d'embaumer, de momifier les vivantes vérités. »
Il écrivit cela en songeant au philosophe Eymonnet, qui avait contresigné « l'appel à la conscience française ». Il écrivit ces lignes un peu pour se libérer de la hargne, pour immoler quelqu'un, symboliquement, sur l'autel de la colère. Après quoi, il travailla plusieurs heures d'affilée.

Comme l'après-midi déclinait, Patrice Périot entendit une auto s'arrêter devant la porte du jardin. Sa fenêtre était fermée, car le temps restait morose. Mais Patrice eut le sentiment qu'il distinguait la voix d'Hervé. Il eut la tentation de se précipiter vers l'escalier et de descendre au jardin. Il parvint à s'en empêcher et s'appliqua à rédiger encore une ou deux lignes. Au bout d'un moment, la porte s'ouvrit, derrière Patrice, et, comme nul coup frappé n'avait annoncé cette entrée, le savant pensa : « C'est un de mes enfants. C'est Hervé... »

C'était Hervé. Le garçon portait une fleur à la boutonnière, mais les revers de son veston étaient tachés et deux ou trois boutons de son gilet manquaient ou n'étaient point en place. Un parfum de cigarette anglaise et de frangipane, peut-être, l'annonçait à trois pas. Il vint jusqu'au fauteuil où travaillait son père et, du bout des lèvres, effleura la tempe du vieil homme.

« Tiens! C'est toi, dit Patrice Périot, affectant la surprise. Comment es-tu venu?

— Par le train », murmura le garçon.

« Hélas! songea tout aussitôt Patrice, il ment! Qu'est-ce qui l'oblige à mentir? Je ne trouverais pas étonnant qu'un ami l'eût amené jusqu'ici. »

Il poursuivit, à voix haute :

« Penses-tu rester quelques jours?

— Non, répliqua Hervé, l'air distrait. Non, je suis venu seulement te dire bonjour.

— Eh bien, mon ami, nous allons prendre le thé ensemble. Demande à Mme Hortense de mettre une tasse de plus pour toi. »

Patrice prit le thé sans quitter son fauteuil et sa table de travail. Le garçon fumait, à demi couché sur le vieux canapé. Patrice le considérait à la dérobée. Il songeait : « Pour les traits, c'est tout à fait sa mère. Mais pour l'expression, non pas. Clotilde était la raison même. Elle était notre servante à tous. Et quelle abnégation! Quand elle est tombée malade, elle a dit, après la visite de Laubry : « Je suis heureuse à l'idée de penser que c'est grave. J'aurais été si honteuse de vous avoir tourmentés tous pour un rien, pour un malaise... » Si seulement elle était là, peut-être qu'elle trouverait des paroles... Moi, moi, je ne sais pas. La pensée de mon travail me domine. Je ne peux pas être un bon père et je sens que je ne me le pardonne pas. »

Cette pensée devait le poindre, car ayant vidé sa tasse de thé, il dit tout haut :

« Si ta mère était encore là, elle saurait sûrement te parler. »

Le garçon haussa les épaules.

« Je n'ai pas besoin qu'on me parle.

— Alors, de quoi donc as-tu besoin, mon pauvre enfant? »

Hervé se pencha vers son père et dit, parlant bas mais poussant l'haleine :

« Donne-moi cent mille francs, papa. Je te dis qu'il est temps.

— Diable! soupira Patrice Périot, encore l'histoire des cent mille francs. Je l'avais tout à fait oubliée.

— Tu as eu tort, papa, c'est très grave.

— Voilà que j'ai tort de ne pas penser assidûment à tes fantaisies! Mon enfant, je ne possède aucune fortune. Seulement le revenu de ce que tu sais. Je te donne la table et le couvert, comme on disait autrefois, plus cinq mille francs par mois pour tes études et tes menus frais, ce qui est énorme; oui, je paie tes frais d'études et tu ne suis même pas les cours. Quand je rencontre tes professeurs, à l'université, je détourne les yeux. Je n'ose pas leur parler de toi.

— Donne-moi cent mille francs, papa, je t'en supplie.

— Je ne les ai pas! Tu me tortures.

— Vends cette maison qui ne sert quasiment à rien.

— Ce n'est pas le moment de vendre les biens immobiliers quand on est en pleine inflation. Du moins, c'est l'avis de ton beau-frère Maurice, qui a des vues là-dessus. Je ne parle même pas de ce que cette maison représente pour moi. Et qu'est-ce que tu feras de cet argent? »

L'enfant haussa les épaules et se mit sur ses jambes. Il bâilla longuement et dit :

« Je m'ennuie. »

Puis il arrêta quelques secondes sur son père un regard effarouché :

« Tu le regretteras peut-être.

— Possible, mon garçon. Vous tous, mes enfants, vous avez toujours l'air de me juger : Maurice au nom de son monarchisme, Christine au nom de Karl Marx, Thierry au nom de la religion et toi au nom de tes caprices. Si ta mère était encore à côté de moi, peut-être qu'elle comprendrait...

— Tu dis toujours la même chose. »

Patrice Périot ne répondit rien, mais, comme il avait la plume en main, il écrivit, sur la page de gauche, sur la page témoin, sur la page vierge : « Qui ne radote avec ses familiers? »

Le garçon bâilla de nouveau, s'essuya les lèvres avec la serviette large comme un mouchoir que Mme Hortense avait posée sous la tasse et sortit sans ajouter un mot.

Patrice Périot se remit au travail et parvint à fixer ses pensées, contre toute attente. Un peu plus tard, il entendit une voiture s'arrêter dans le voisinage puis une porte claquer. Il n'y prit pas garde.

La nuit était déjà noire quand Mme Hortense pénétra dans la pièce pour enlever le service à thé. Elle commençait de replier la serviette d'Hervé quand elle dit soudain :

« C'était une serviette propre.

— Eh bien ?

— Il y a quelque chose dessus.

Quoi donc, madame Hortense ?

— On dirait du rouge à lèvres.

— C'est impossible, madame Hortense.

— C'est peut-être impossible, mais c'est vrai. »

La gouvernante saisit le plateau puis quitta la chambre d'un pas olympien.

Le jour suivant, Thierry tomba dans la maison, sa valise à la main, le visage frais et rose. Il courait de chambre en chambre, et ce n'étaient que cris, exclamations, chansons et appels.

« Comme on est bien, ici ! Comme je suis heureux ! Hosanna ! Hosanna ! Papa, je reste avec toi jusqu'à la fin des vacances. »

C'était presque inespéré. Ce fut idyllique. La maison, soudain, redevint vivante comme au temps du bonheur. Thierry chantait, à pleine voix, tout le jour et s'en excusait avec effusion. Patrice Périot répondait, de sa fenêtre :

« Mais ne t'excuse pas. Ce qui m'empêche de travailler, ce sont les bêtises, les grossièretés, la radio du music-hall. Mais toi, mon cher Thierry, tu ne chantes que des choses pures, alors tu ne me déranges pas. Tu me berces. »

Vers la fin du jour, le garçon refermait ses livres, car il avait apporté un peu de travail et il hélait son père, du jardin :

« Papa, papa! Allons faire un tour jusqu'aux lisières de la forêt. Ça monte. C'est bon pour toi. Tu as besoin d'exercice. »

Patrice bougonnait, pour la forme. Puis il se hâtait de coiffer un vieux chapeau et de saisir sa canne d'épine. Thierry babillait sans arrêt, en grimpant la côte. Il disait :

« Tu seras avec nous, papa! Je te l'annonce. Je ne te le demande pas, je te le prédis. Et ça ne t'empêchera pas d'être l'homme que tu es, au contraire : nous avons des chrétiens de gauche et même d'extrême gauche. Nous sommes libres dans la lumière.

— Tu sais, soufflait Patrice en hochant la tête, tu sais, mon garçon, on change en vieillissant; mais il y a peu de chance que je te rejoigne jamais où je te vois. Je suis retenu par des habitudes rigoureuses. Toutefois je m'entends assez bien avec Dieu, maintenant, je t'assure. Je vis en bonnes relations avec l'idée de ton Dieu. »

Là-dessus, le père et le fils se prenaient le bras et s'efforçaient l'un de raccourcir son pas, l'autre d'allonger le sien. Patrice Périot songeait : « Je suis un ingrat! Je dis toujours mes enfants sont ci, mes enfants sont ça! Non! Thierry ne ressemble absolument pas aux autres. Il est un peu fou, comme les autres, mais c'est une belle folie. Il finira peut-être moine, peut-être curé dans un trou de province, et j'avais rêvé pour lui des destinées différentes; enfin, s'il est heureux, c'est le principal. Quand un être est possédé par une foi, quand il est tenu par un équilibre, que peut-on demander de mieux? Qu'est-ce que je peux souhaiter à mon petit Thierry? Qu'il soit heureux! Eh bien, il me semble qu'il est heureux. »

Là-dessus, le père et le fils arrivaient sur le plateau. Thierry se tournait vers Patrice Périot et lui prenait la main. Il s'écriait, l'air inspiré :

« Papa! J'ai vu une flamme sur ton front. Tu es avec nous.

— Mais non, mon garçon, répondait le savant en s'épongeant, car il avait pris chaud dans la course. Mais non, je suis en nage et tu n'as vu que de la sueur. Laisse-moi souffler, Thierry. Je ne sais probablement pas ce que tu sembles savoir; mais toi, tu ne sais sûrement rien de ce que je sais. »

Ils redescendaient en se chamaillant avec tendresse. En route, Patrice disait :

« Ta sœur Christine est venue me voir, l'autre jour. Il me semble que si je cessais de l'appeler Christine, je briserais quelque chose d'ineffable qui me relie à elle. Il me semble que si je l'appelais comme elle veut être appelée, il y aurait quelque chose au monde qui serait changé, quelque chose de grand. Je le lui ai dit un jour et elle a répondu que j'avais parfaitement raison, qu'il y aurait bientôt quelque chose de changé, quelque chose de considérable. »

Un peu plus tard, il ajouta :

« Que sais-tu des relations de ton frère Hervé?

— Hervé est insaisissable, répondit l'enfant avec un sourire limpide. Mais, un jour, je le saisirai et je lui parlerai. »

Patrice Périot n'osa pas poursuivre plus avant son interrogatoire. La promenade s'acheva dans le silence.

Le lendemain, comme Patrice Périot, en robe de chambre, feuilletait les journaux du matin, il fit entendre une sorte de mugissement.

« Ah! grondait-il. Ah! c'est trop fort! Ah! c'est même incompréhensible! »

Il descendit à l'étage inférieur où se trouvait le téléphone et il dut tourner longtemps la manivelle avant d'obtenir ce qu'il voulait. Quand il tint le numéro souhaité, il cria, la voix furieuse :

« Mademoiselle, si M. Gérin-Labrit est à Paris,

dites-lui que j'y serai moi-même cet après-midi, vers quatre heures, et que je lui demande de venir me voir, chez moi, que c'est très sérieux, très grave. »

Une heure après, ayant embrassé Thierry et promis de rentrer le soir même, il montait dans le train, en gare de L'Isle-Adam. La belle semaine Thierry, la belle semaine de paix, de travail, de recueillement s'achevait en fureur.

CHAPITRE VI

La partie de l'appartement que Patrice Périot se réservait ou, du moins, essayait de se réserver, semblait abîmée dans l'ombre et la poussière. Patrice ouvrit les volets et l'ombre fit retraite. La poussière, en revanche, confirma ses positions au grand jour d'avril. Patrice Périot détestait la poussière, cela signifie du moins que la chère Clotilde et Mme Hortense avaient assis Patrice Périot dans cette idée qu'il détestait la poussière. Il promena sur son cabinet de travail un regard circulaire, saisit un petit plumeau qui traînait sur les rayons de la bibliothèque et fit le geste d'épousseter son bureau. Après quoi, soufflant comme un mâtin pour bien s'assurer que sa colère ne faiblissait pas, il s'assit dans le fauteuil invalide et fit craquer, une par une, les articulations de ses doigts, ce qui était, décidément, chez lui, un symptôme de perplexité.

Il avait été déjeuner, de l'autre côté de la rue, chez sa fille Edwige, qui ne prenait pas de vacances parce que son mari n'en prenait pas; et, là, Maurice Ribeyrol avait considéré son beau-père d'un œil sans aménité, puis il avait dit des choses en même temps très vagues et très précises, comme : « On peut être un grand savant et ne rien comprendre à la politique », ou encore « Moi, tant que je n'aurai pas visité l'Union française et les autres domaines administrés par d'autres peuples, je ne me permettrai pas de formuler une opinion sur la question coloniale ». Patrice avait aperçu le visage d'Edwige qui manifestait à ces mots une muette épouvante et il avait serré les mâchoires, d'abord pour ne point ouvrir une querelle en relevant le gant, ensuite parce qu'il n'entendait point gaspiller des forces dont il aurait grand besoin, sans doute le jour même.

Après le déjeuner, il avait traversé Paris pour aller saluer son frère et lui porter l'enveloppe attendue. Là encore, il se présentait sans avoir l'intention de livrer bataille. Gustave Périot avait saisi le journal éployé sur ses couvertures et il avait dit, l'air rogue :

« Il faut avouer que ce n'est pas agréable d'être le frère de Patrice Périot. On ne sait vraiment que répondre aux personnes que l'on rencontre.

— Mais tu ne sors jamais, Gustave.

— Si je ne sors pas, avait répondu le moribond, c'est peut-être à cause de cela. Si je suis malade comme je le suis, c'est peut-être à cause de toi, oui, de tes extravagances. »

Patrice Périot avait repris le métro presque tout de suite. Maintenant, ayant aéré sa chambre, épousseté sa table, fait craquer ses doigts, il considérait le journal qu'il venait de tirer de sa poche. C'était une feuille d'extrême gauche qui le citait souvent avec faveur, mais qu'il n'ouvrait jamais sans une appréhension d'ailleurs difficilement explicable. Il ajusta donc ses lunettes et relut pour la dixième fois le texte suivant :

« *Les soussignés, considérant l'état présent du monde, la marche des idées, les traditions séculaires de la France, l'évolution des problèmes du colonialisme, invitent le peuple français à exiger l'évacuation de territoires conquis par la violence, et la libération immédiate de populations soumises contre leur volonté.* » Signé Ludovic Eymonnet, membre de l'Institut, Bertrand Recordeau, ancien ministre, Patrice Périot, membre de l'Institut, Noël

Rebufat, membre de l'Institut, Joseph Mousselon, député de Paris, Pierre Gérin-Labrit, écrivain...

Suivaient d'autres noms, moins illustres. Il était dit, en outre, que ce texte pouvait être signé par tous les hommes libres.

Patrice Périot tira sa montre et pensa que le visiteur, s'il était exact, ne tarderait plus longtemps. Le savant s'efforçait de rassembler ses idées, de parfaire ses arguments. Il y avait là deux questions à considérer séparément. Sur la première, celle de la signature, Patrice Périot serait intraitable...

La concierge assurait le service, quand Mme Hortense était à Jouy-le-Comte. Patrice l'entendait errer dans les couloirs et heurter les plinthes avec son balai. La sonnette retentit à quatre heures quinze et Patrice pensa que le retard du visiteur était somme toute assez modeste, au rythme de la vie et des coutumes de la civilité dans ce monde hagard et désorienté qui était le monde moderne.

Gérin-Labrit entra dans la chambre et Patrice Périot se leva pour le saluer. Un léger soleil à éclipses éclairait fort bien l'espace libre et Patrice eut le temps de voir clairement le personnage. Le beau visage ravagé, le beau visage à longs traits de l'écrivain semblait empreint d'une lassitude toute mêlée d'arrogance et de dédain. Au moment de lui offrir un siège, Patrice remarqua tout à coup que le pantalon de Gérin-Labrit portait une large tache, de celles que les médecins disent « suspectes » pour n'en point indiquer plus clairement la nature et l'origine. Patrice Périot en éprouva tout aussitôt un malaise qu'il ne voulut pas analyser. Gérin-Labrit avait la réputation d'user largement de la vie. Cela ne regardait personne, apparemment, à la condition toutefois qu'il ne s'avisât jamais de...

Cette pensée incidente allait détourner Patrice Périot

de ses préoccupations majeures. Ce fut Gérin-Labrit qui
l'y ramena. Chose bien surprenante, dès les premiers
mots, Patrice eut le sentiment que l'adversaire atta-
quait le premier, et sur un terrain tout à fait imprévu,
tout à fait mal préparé.

« Quand j'ai été instruit par ma secrétaire de votre
désir d'une rencontre, je me disposais justement à vous
demander rendez-vous, mon cher professeur. Oh! je
sais, il s'agit d'un problème sur lequel vous avez
sans doute des vues de spécialiste, mais qui nous
intéresse tous, nous, les hommes d'une grande foi.
S'il n'en était pas ainsi, je n'oserais pas, moi, écrivain, homme de lettres, comme il paraît qu'on dit,
vous aborder à propos de ces questions où tout le
monde vous tient pour un maître. N'empêche que vos
amis s'inquiètent. Les savants russes, qui vous ont si
bien reçu il y a treize ans et qui vous respectent, nous
font part de leur... Comment dire? de la gêne qu'ils
éprouvent en lisant vos dernières communications.

— Mes dernières communications...

— Oui, sur les organes soustraits au contrôle de la
volonté. Le débat n'est pas sur les faits, mais sur
l'interprétation des faits. Et si, paraît-il, on examine
de près les conclusions de vos travaux antérieurs, de la
nouvelle théorie des réservoirs naturels, par exemple... »

Patrice commençait à se ressaisir, à sortir de l'étonnement.

« Répondez-moi franchement, dit-il. Avez-vous lu
mon livre sur le fonctionnement des réservoirs naturels? Avez-vous lu mes dernières communications sur
les organes soustraits au contrôle de la volonté?

— La question n'est pas là, répliqua Gérin-Labrit.
Les personnes qui sont capables de comprendre parfaitement les travaux d'Einstein, par exemple, ne sont pas,
en tout, plus d'une dizaine, à ce qu'on dit. N'empêche
que le monde entier est en droit de demander à Einstein

compte d'une pensée qui, dès maintenant, bouleverse la vie des individus et des collectivités. Même chose pour la désintégration des atomes lourds ou légers. L'homme de la rue ne sait pas ce que c'est qu'un neutron ou qu'un proton. N'empêche qu'il peut, demain, périr carbonisé et qu'il a le droit de s'intéresser à ce que font, à ce que pensent les savants et les philosophes. Nous, communistes, qui confessons une doctrine ferme, nous avons pour devoir d'examiner les travaux des savants et si, d'aventure, ces travaux nous semblent propres à troubler ce que nous considérons comme l'ordre du monde, alors nous donnons un avis, un avertissement. Nous faisons ce que je fais, mon cher professeur. »

Patrice Périot ferma les paupières, à demi, comme pour méditer à l'aise. Puis il dit, sans élever la voix :

« Je m'attendais à tout, sauf à recevoir cet extraordinaire avertissement. Nous reparlerons de tout cela. Je vous préviens tout de suite que rien, vous entendez, rien ne saurait m'empêcher de dévoiler, de publier ce que je considère comme une vérité.

— Même si ce que vous considérez comme une vérité devait ébranler, directement ou indirectement, la confiance des multitudes en ceux qui acceptent de les guider vers une vie meilleure?

— Oui, dit posément Patrice Périot. Une vie meilleure fondée sur l'aveuglement et le mensonge, sur l'ignorance de certains faits aussi, ne serait pas, pour moi, une vie meilleure. Voilà, je crois vous avoir dit que nous reprendrions cet entretien plus tard. Ce n'est certes pas pour vous parler de cela que je vous ai demandé une entrevue.

— Comme vous voudrez, fit l'écrivain. Je vous ai d'ailleurs dit l'essentiel de ce que j'avais à vous dire. »

Il y eut un bref silence puis, tout aussitôt, Gérin-Labrit reprit l'entretien, comme s'il tenait à choisir lui-même le point d'attaque et même le ton.

« Je vois, dit-il, que vous relisez notre manifeste. Reconnaissez que les termes en sont modérés, tout en demeurant vigoureux.

— Je ne le relis pas, s'écria Patrice Périot en se mettant debout pour donner du jeu à son mécontentement. Je ne le relis pas, je le lis, vous entendez, je viens de le lire. Pourquoi vous êtes-vous permis de mettre là ma signature sans me l'avoir demandée, sans m'avoir prévenu, sans m'avoir soumis ce texte? Les Allemands faisaient cela, pendant la guerre, sans doute, pour ceux qu'ils sentaient hésitants; mais vous, avec qui, jusqu'ici, j'ai travaillé sans arrière-pensée... »

Gérin-Labrit leva les bras d'un air las et ennuyé.

« Vous étiez à la campagne, et c'est bien la première raison. On ne savait pas où vous prendre. Ensuite je croyais vous avoir dit que nous avons absolument besoin de quatre ou cinq signatures fidèles, sur lesquelles nous devons pouvoir compter en cas d'urgence.

— Sur lesquelles, répéta Patrice Périot stupéfait, sur lesquelles vous devez pouvoir compter... »

Il n'alla pas plus loin. Gérin-Labrit, avec un geste de la main, un geste autoritaire, semblait le prier de regagner son siège. Et, tout aussitôt, le visiteur se prit à prononcer des paroles tout à fait surprenantes.

« Vous n'avez pas l'air, mon cher professeur, permettez-moi de vous le dire, vous n'avez pas l'air de mesurer le pouvoir de votre renommée. Vous savez, du moins je l'espère, que Seretti et Montecolla n'ont pas encore été exécutés. Ils ne le seront probablement pas. Le salut de ces deux héros est votre œuvre et vous n'avez pas même l'air de le savoir. Vous avez donné votre signature et cette signature a fait un miracle, un miracle auquel vous ne pensez déjà plus. Mais cette gloire, qui vous permet de jeter un si grand poids dans la balance du destin, cette gloire, eh bien, elle ne vous appartient pas à vous tout seul. Vous n'êtes pas le propriétaire exclusif de cette gloire. Jamais la gloire d'un homme n'est sa propriété personnelle. C'est ce que n'a pas compris Pétain, c'est ce que de Gaulle semble oublier à son tour. Vous avez mérité votre gloire, sans doute, mais c'est nous qui vous l'avons donnée.

— Vous? répéta pensivement Patrice Périot que cette éloquence frappait de stupeur.

— Oui, nous, le peuple. Vous pouvez faire des travaux extraordinaires, découvrir ce que vous appelez des vérités. Soit! Mais il n'y a que le peuple qui puisse donner la gloire. Vous êtes, de cette gloire, comptable à ceux qui vous l'ont prodiguée. Voilà ce que pensent les gens comme moi qui se considèrent comme engagés dans la plus grande aventure du monde. Vous, à ce que je vois, vous n'êtes pas engagé.

— Je me demande, répondit Patrice avec un regard brillant de naïveté, je me demande où commence, à vos yeux, ce que vous appelez l'engagement. La moitié de mes amis me reprochent de me comporter en intellectuel engagé.

— La moitié de vos amis! s'écria Gérin-Labrit en remuant toutes ses rides d'un air scandalisé. La moitié de vos amis! C'est vraiment, professeur, que vous avez beaucoup de mauvaises fréquentations. »

Sur cette phrase prononcée sans le moindre sourire, Gérin-Labrit, qui ne laissait pas à l'adversaire le temps de se ressaisir, parut s'abandonner à des rêveries magistrales et morigénatrices.

« Mon cher professeur, disait-il, quand on a vraiment pris un parti, quand on s'est loyalement engagé avec les gens d'un parti, on ne change pas de route sur une question de détail, même si les compagnons choisis font des fautes ou des erreurs. Un parti, c'est comme une patrie. Vous aviseriez-vous de changer de nationalité si la France, tout à coup, venait à

faire une bourde? En ce cas, il y a longtemps que vous
ne seriez plus Français. Un parti, c'est comme une
religion. Un vrai chrétien peut penser, dans le secret
de son cœur, ce qu'il veut du dogme de la Trinité.
S'il se sépare sur un point de détail, c'est qu'il n'est
pas un chrétien. Non! Il faut honnêtement tout prévoir, même les manquements, même les crimes — oui,
je dis les crimes — du clan avec lequel on a fait alliance
et se débattre courageusement dans l'intimité de ce
clan, mais sans trahir, surtout, sans déserter le poste de
confiance auquel on se trouve placé. »

Patrice Périot n'était pas accoutumé, lui, l'homme du
laboratoire et des réflexions solitaires, à cette dialectique sinueuse. Il comprit qu'il commençait à perdre
l'avantage, à douter de sa position et que l'irritation
le gagnait.

« Je peux discuter sur cet abus que vous avez fait
de mon nom. Je ne me sens nullement ébranlé dans
mon profond amour du peuple.

— Oh! je vous en prie, répondit l'autre, ne parlez
surtout pas de cela.

— Et pourquoi donc?

— Les gens de votre sorte aiment le peuple, apparemment, mais à condition de n'être dérangés ni dans
leur bien-être physique et moral, ni dans leurs sacro-
saintes habitudes. »

De nouveau Patrice Périot se mit debout et, les
mains aux poches, commença de se promener dans
l'espace libre entre les meubles.

« Je peux être avec le peuple, grondait-il, sans
être avec vous.

— Détrompez-vous, professeur. Si vous n'êtes pas
avec nous, c'est-à-dire à la pointe de l'action, vous
êtes contre le peuple, et, dès maintenant, un renégat.

— Les gens de ma sorte, comme vous dites, reprit
Patrice Périot qui sentait monter la colère, sont, par

essence, humains, peut-être, mais essentiellement apolitiques.

— Cela se voit bien, répliqua le visiteur avec flegme.

— Que voulez-vous dire?

— Je veux dire que vous agissez par coups de cœur. Oh! ce sont de nobles coups de cœur. Mais ce ne sont pas les coups de cœur qui permettent de mener correctement le monde. Encore un mot, professeur. N'oubliez pas que, sans nous, rien ne peut se faire au monde.

— Sans vous?

— Oui, sans nous, les travailleurs, les ouvriers.

— Vous n'êtes pas un ouvrier, vous, Gérin-Labrit.

— Je suis, ici, le porte-parole des travailleurs, vous avez l'air de l'oublier, par moments. »

Un grand silence tomba. Puis Patrice Périot murmura, la voix altérée :

« Rien, vous m'entendez, rien ne m'empêchera d'être du côté de ceux que je juge les plus malheureux.

— Nous sommes en pleine absurdité, répondit le visiteur d'une voix glacée. Nous ne sommes pas les plus malheureux, puisque nous sommes les plus forts, vous m'entendez bien : les plus forts.

— Attention! dit encore Patrice Périot. Attention! Si vous n'êtes pas les plus malheureux... non! je me trompe : si les gens que vous affirmez représenter ici ne sont pas les plus malheureux, s'ils sont vraiment les plus forts, alors ils n'ont, sans doute, pas besoin de moi. »

Gérin-Labrit haussa les épaules, comme un homme excédé, comme un homme qui est en train de perdre son temps. Le silence retomba. Au bout d'un long moment, Périot reprit, s'efforçant de bien peser et de bien séparer les mots :

« Vous m'avez étourdi quelque peu, tout à l'heure,

vous m'avez étourdi avec vos mots, vos phrases inquiétantes, votre grande habileté dans la discussion. Vous
avez failli me faire oublier ce que je voulais vous dire.
Et ce que je voulais vous dire est somme toute simple.
En ce qui touche le problème du colonialisme, je
manque de renseignements personnels. Je ne peux pas
me prononcer. Aux yeux du monde, je viens de me
prononcer, malheureusement. Je l'ai fait contre mon
gré. Vous avez abusé de ma signature. Il est possible
que d'autres personnes vous permettent d'abuser de
leur signature. Je les plains. En ce qui me touche,
vous ne le ferez plus. Vous m'avez bien compris : vous
ne le ferez plus jamais. Pour commencer, vous allez
publier une rectification. »

Le visage ravagé du visiteur demeurait maintenant
immobile et ne trahissait pas la moindre émotion. Au
bout d'une minute, il se leva, déplia lentement ses
longs membres maigres, glissa dans sa braguette un
doigt distrait et dit :

« Une rectification? Vous ne parlez pas sérieusement, professeur. »

Comme Patrice Périot demeurait perplexe, interdit,
Gérin-Labrit dit encore :

« Je respecte quand même trop votre œuvre et
votre esprit, en bref ce que vous avez représenté
jusqu'ici à nos yeux, pour ne pas garder secret un
entretien dont la simple relation vous ferait perdre
l'estime des masses laborieuses et vous rendrait sus-
pect à tous les hommes libres. »

Là-dessus, il passa la porte, laissant Patrice Périot
en proie à la colère, à l'étonnement, à une consterna-
tion qui ressemblait au désespoir.

CHAPITRE VII

La trêve de Pâques avait décidément pris fin. Patrice Périot ne regagna Jouy-le-Comte que pour faire ses valises puis, dès le lendemain rentrer à Paris, avec Mme Hortense, les petits enfants et Thierry. A peine eut-il retrouvé l'appartement de la rue Lamarck, il regretta confusément d'avoir quitté son refuge des champs. Bien qu'il s'efforçât de ne plus penser à la visite de Gérin-Labrit, il éprouvait un malaise voisin de l'angoisse, un malaise que rien ne justifiait, en vérité. Il avait dit ce qu'il avait à dire. Il avait affronté, sans franc résultat d'ailleurs, cet homme inquiétant, mal saisissable, dont la seule pensée lui faisait serrer les mâchoires. Il s'était comporté courageusement, somme toute. Alors, d'où venait ce trouble profond qui, parfois, ressemblait à la détresse?

Comme il entreprenait de mettre un semblant d'ordre sur sa table de travail, la sonnerie du téléphone se fit entendre. Il ouvrit la porte et cria :

« Madame Hortense, ne décrochez pas l'appareil, je vous prie. Ces gens m'assomment. »

Il pensa tout aussitôt que ses enfants étaient encore en vacances, que certains d'entre eux pouvaient se trouver sur la route, peut-être en difficulté, — sait-on jamais? — et il cria, vers le couloir :

« Pardon, madame Hortense! Décrochez l'appareil, s'il vous plaît. C'est peut-être un de mes enfants. »

La sonnerie cessa bientôt dans les profondeurs. Un moment plus tard, Mme Hortense apparut à la porte. Elle dit, l'air lugubre :

« C'est le gros.

— Qui donc appelez-vous ainsi, madame Hortense?

— C'est le monsieur énorme, celui qui sent la sueur et qui parle toujours trop fort. »

Le signalement, pour bref qu'il fût, ne laissait guère place à l'erreur. Patrice Périot dit alors, l'œil inquiet :

« C'est donc M. Schlemer...

— Oui, je crois que vous l'appelez comme ça. J'ai dit que vous étiez absent. »

Resté seul, Patrice Périot se sentit confirmé dans son désir de fuite. Il déjeuna donc, en tête-à-tête avec Mme Hortense et décida tout aussitôt d'aller travailler au laboratoire, pensant que ses collaborateurs ordinaires seraient peut-être absents et que si, d'aventure, ils étaient là, il pourrait, lui, le professeur Périot, obtenir sans peine le silence et la paix dans son domaine.

Au moment de quitter la maison, sa serviette sous le bras, il dit à Mme Hortense :

« Vous ne répondrez pas au téléphone, madame, sauf si ce sont les enfants. »

Mme Hortense regarda Patrice Périot avec commisération et dit, sévèrement :

« Que le professeur veuille bien m'expliquer comment, avant d'avoir décroché l'appareil, je peux savoir que ce sont les enfants. »

Cette logique rigoureuse exaspéra Patrice Périot qui haussa les épaules, grogna des paroles sans suite et disparut dans l'escalier.

En passant devant la loge de la concierge, il eut le sentiment que le calme était revenu, que l'escalier avait accompli son miracle ordinaire, car il avait murmuré sa formule « l'escalier porte conseil ». Il aperçut donc sa concierge et dit, d'une voix qu'il voulait courtoise : « Bonjour, madame Vidrequin. »

Avait-il parlé trop bas? Mme Vidrequin devenait-elle sourde? Plus probablement encore avait-elle quelque raison de manifester de l'humeur? Il parut à Patrice Périot que cette personne ordinairement bénigne et franche du bec s'abstenait de répondre.

Patrice Périot gagna le trottoir et pensa : « Qu'ai-je pu bien faire pour mécontenter cette pauvre Mme Vidrequin? »

L'incident, qui fût demeuré sans la moindre importance un autre jour, suffisait, ce jour-là, pour altérer, chez Patrice Périot, une sérénité déjà fragile, déjà démissionnaire. Il eut le sentiment que les gens de la rue, qui tous le connaissaient depuis de longues années, le regardaient passer sans la moindre bienveillance. Oh! sans doute ne s'agissait-il pas des patrons, assis dans leur caisse ou dans les profondeurs des magasins. Patrice ne songeait, ce jour-là, qu'aux petites gens de l'étalage ou du trottoir. Il les trouva froids, réservés, distants. Il décida d'aller à pied jusqu'au moment où il éprouverait la fatigue, car rien ne le pressait. Il suivait, en de tels cas, un itinéraire sinueux, gagnait l'Opéra par des rues infimes qui ressemblaient à des crevasses, puis, de là, surtout s'il se sentait allègre, il se dirigeait, au juger, vers le quartier des écoles en longeant la région des Halles et en humant au passage toutes les odeurs de la vie citadine.

Or, le malaise dont souffrait Patrice Périot, au lieu de se dissiper sous l'influence lénitive de l'exercice musculaire, ne cessait de grandir et de s'affirmer. Ce malaise n'était assurément pas imputable à l'attitude, aux propos des gens du trottoir — Patrice empruntait maintenant des rues où nul ne le connaissait —, mais bien plutôt à quelque misère intérieure, à quelque désordre de son cœur et de son esprit. Patrice Périot éprouvait, avec une netteté croissante de minute en minute, le tourment d'un homme qui a quelque chose à se reprocher, qui n'est pas content de lui-même, que sa conscience ne laisse point en repos.

Dans l'espoir d'apporter une diversion à cette inquiétude, il songea, pendant une grande minute, à prendre le métro, pour s'étourdir un peu, pour se mêler de force à cette multitude qu'il aimait et à laquelle il devait certaines de ses meilleures inspirations. Mais il fut retenu par une sorte de crainte, par un scrupule qu'il compara lui-même, sans d'ailleurs l'expliquer, à celui du chrétien qui se présente à la communion sans être en état de grâce. Il poursuivit donc son chemin, seul au long des trottoirs et, tout à coup, il entendit résonner à son oreille un mot qui avait été prononcé par le visiteur de la veille. Il comprit que ce mot était sans aucun doute au principe de sa douleur, que ce mot était logé dans l'épaisseur de son être, comme un projectile au fond d'une plaie enflammée, qu'il faudrait, coûte que coûte, expulser sans faute et ce mot horrible et l'idée que ce mot représentait. Il répéta plusieurs fois : « Le méchant bougre n'a quand même pas osé me traiter de renégat, mais il a laissé entendre que je pourrais, à ses yeux, un jour, faire figure de renégat. C'est absurde et c'est odieux. »

Il poursuivit un grand effort de mémoire pour se rappeler l'entretien de la veille phrase par phrase. Il ne pouvait pas ne pas reconnaître que « le méchant bougre » était un habile rhéteur, et même qu'il disait souvent de ces choses fortes et d'apparences péremptoires qui demandent réflexion, auxquelles on ne peut donner une réponse improvisée. Ainsi donc, toujours cheminant dans la profondeur des rues, Patrice Périot s'évertuait, avec, hélas, un retard irréparable, à trouver des arguments, lui aussi, des arguments et des ripostes. Mais le mot de renégat demeurait comme une épave en travers de ses raisonnements et ce seul mot le rendait malheureux et furieux à la fois.

Bien qu'il n'eût jamais cédé, même durant les derniers lustres, aux sollicitations et aux vertiges de la politique active, il connaissait de ces gens que l'on peut appeler renégats parce qu'ils avaient, en effet, déserté leur clan, déçu leurs compagnons. Ils menaient presque tous une vie lamentable et recevaient des insultes de tous les points de l'horizon, de la gauche et de la droite, de l'ouest et de l'est. Patrice Périot n'était en rien semblable à ces hommes désorientés. Il n'appartenait à aucun parti politique. Il n'avait, somme toute, jamais prêté serment. Il n'était pas même, en ce qui concernait le communisme, de ceux que l'on nomme des sympathisants. Il était un esprit libre qui entendait, à la fois, ne pas aliéner ses franchises et ne pas déserter la cause du grand peuple laborieux et souffrant pour lequel il éprouvait une véritable tendresse, c'est-à-dire un sentiment tout à fait opposé à ce mélange de crainte et d'animadversion qu'il observait chez tant de personnes favorisées de la fortune et nanties. Il avait, de bon cœur, à la pression des événements, donné des preuves de sa bonne volonté, mis son crédit au service de ce peuple; il avait donné des gages, en d'autres termes, il n'avait pas refusé de s'engager. Et voilà qu'on le traitait avec rigueur et avec exigence. On abusait de sa signature. Et il n'avait même pas le droit de se plaindre. Que s'il se plaignait, on suspendait, comme un glaive, au-dessus de sa ·tête, ce mot ignoble, ce mot de renégat.

Il avait atteint les rues qui avoisinent les Halles et qui sont encore, au début de l'après-midi, souillées d'une foule de débris. Bien qu'il marchât tête basse, en proie à son inquiétude, il glissa sur une peau d'orange et faillit tomber tout de son long sur le trottoir.

« Eh là! s'écria un gaillard qui portait une hotte

chargée. Eh là! le vieux père, attention à tes abattis! »

Cette familiarité lui fut réconfort et soulagement. Aux yeux de ce brave garçon, Patrice Périot n'était pas un « renégat », mais un compagnon de la rue, un compagnon de la vie, un frère de peine et de souffrance. De l'œil, il remercia le coltineur et poursuivit sa route, rasséréné. Non! non! jamais il ne cesserait d'aimer et de servir ces braves gens, même s'il cessait de seconder les bavards et les agitateurs, les maîtres de la société future, les Gérin-Labrit...

Il s'aperçut qu'il arrivait en vue de la Sorbonne. Il avait marché plus d'une heure pour épuiser son malaise et il allait y parvenir. Il murmura, fronçant les sourcils et souriant, sous la rude moustache : « S'ils me prennent pour un couillon, je leur ferai comprendre qu'ils se trompent. Voilà! Et je ne me détournerai pas de ma route, de ma droite route à moi, Patrice Périot. »

La Sorbonne était presque déserte. Seul un élève de Périot, aidé d'un garçon fidèle, travaillait au laboratoire. Le professeur dut écouter un bref rapport, il considéra les graphiques et les notes, puis, tout aussitôt, passa dans son cabinet de travail, quitta sa veste, revêtit sa blouse et s'assit devant son bureau.

C'était quand même un lieu de quiétude et de méditation. Par la fenêtre, haut située, Patrice apercevait les bâtiments et les toits du lycée Louis-le-Grand. La rumeur de la rue était intermittente et non certes agressive. On entendait aboyer des chiens d'expérience, au fond d'une cour intérieure. Patrice avait bien fait de quitter sa maison, hantée de soucis, d'enfants querelleurs, de visiteurs imprévus et peu souhaités, pour se réfugier dans cette petite pièce poudreuse, meublée pauvrement, austère, mais visitée parfois par des rêveries fécondes.

Patrice Périot en était là de ses réflexions quand il entendit frapper à la porte. C'était le garçon de laboratoire et il annonça tout de suite qu'un gros monsieur demandait à voir le professeur, pour un entretien qui devait être très bref.

C'était Schlemer... Patrice Périot l'aperçut, par l'entrebâillement de la porte. Schlemer venait de monter l'escalier et il épongeait l'un après l'autre tous ses mentons.

« Faites entrer M. Schlemer », dit Patrice Périot en poussant un soupir.

Le bonhomme entra donc, prit un siège et s'installa non point en visiteur pressé, mais bien comme quelqu'un qui prend ses aises et qui est résolu à ne point partir avant d'avoir dit tout ce qu'il entend dire et fait tout ce qu'il veut faire.

Patrice Périot fut sur le point d'aventurer une allusion, même discrète, au coup de téléphone reçu dans la matinée par Mme Hortense. Il n'en eut pas le temps. Schlemer dit, promenant son mouchoir entre sa chemise et son cou :

« C'est un hasard, mon cher maître. Je passais par ici, en promeneur, oui, en flâneur, et je me suis permis de monter, puisque je connais le chemin. Je pensais bien vous trouver au travail, comme toujours. »

« Il ment, pensa Patrice Périot. Pourquoi ne pas avouer qu'il me cherche, depuis le début du jour, et qu'il vient me relancer jusque dans mon lieu de travail ? »

Schlemer était un journaliste adroit et d'ailleurs apprécié. Il avait débuté comme critique d'art, à *Comœdia,* aux côtés de Léon Blum qui se manifestait, en ce temps-là comme censeur du théâtre. Avec Léon Blum, il s'était lancé plus tard dans la politique socialiste : puis, sentant que le parti socialiste se trouverait dépassé, refoulé, piétiné peut-être, il avait non sans éclat, rallié le parti communiste. Encore qu'il jouât les arbitres pour tous les problèmes de l'art, dans la presse d'extrême gauche, il ne se refusait pas la joie de publier des articles de politique et surtout, surtout, de haranguer les multitudes. A quoi d'ailleurs il excellait. Il se vantait, en esthétique, de conserver la ligne française et même d'interpréter librement, à sa manière, les consignes de Moscou. Il était partisan des ultimes formes de l'art abstrait, de la sculpture algébrique et cristallographique, d'une peinture dévouée à la représentation des signes et non plus des objets.

Sa large face dûment asséchée, détergée, frictionnée, Schlemer sortit de sa poche un journal dont il commença par s'éventer.

« Mon cher maître, dit-il, ce que je viens vous demander, c'est un service, un de ces services qui honorent d'ailleurs celui qui les rend et celui qui en bénéficie. »

Patrice Périot, surpris, inquiet, attendait, les muscles légèrement contractés. Il n'attendit pas longtemps : Schlemer repartait, sans désemparer :

« Nous organisons, dit-il, et vous le savez sans doute, une exposition d'ensemble des peintures de Ramachoff et nous avons pensé que si, d'aventure, un grand savant d'esprit audacieux acceptait de composer et de signer la préface — oh! une page dactylographiée, cela suffirait —, ce salut donné par la science à la peinture la plus moderne, la plus philosophique aussi, aurait une grande signification. Une sorte de mariage entre la science la plus hautaine et l'art le mieux affranchi. »

Patrice Périot retint mal un soupir de soulagement. Il s'attendait à voir renaître l'amère querelle de la veille, et ce n'était pas du tout cela. Vrai, la visite de Schlemer était providentielle et paraissait merveilleusement indépendante de ce que les journalistes appellent si volontiers la conjoncture.

Schlemer n'avait pas encore abandonné la parole. Il esquissait un panégyrique de Ramachoff, ce Bulgare qui, de bonne heure, était venu s'établir en France et à qui la France, toujours généreuse, avait prodigué des preuves d'intérêt d'abord, puis la fortune, puis la gloire.

Patrice Périot, à son ordinaire se mit debout et fit quelques pas dans l'étroite chambre : il en était toujours ainsi quand l'imagination commençait de le tourmenter. Il éprouvait aussitôt que, selon la vieille maxime des psychologues, l'image est motrice.

« Je ne peux pas dire, murmura-t-il enfin, de l'air concentré d'un homme qui assiste à la naissance, en lui-même, et au développement d'une pensée, je ne peux pas dire que les dernières peintures de Ramachoff me donnent le moindre plaisir. Je suis quand même un homme d'un autre temps, je suis le contemporain d'autres recherches. Mais je tiens pour sacré le principe de la recherche, dans les arts comme dans les sciences. Il m'apparaît, d'ailleurs, que la photographie a délogé la peinture de certaines positions. Autrefois, il appartenait au peintre de nous donner de fidèles images de l'homme, des animaux, des objets, de la nature. Presque tous ces sujets ont été retirés au peintre par les procédés scientifiques. Alors je ne juge pas étonnant, même si je m'en trouve surpris ou offensé parfois, que le peintre cherche, qu'il s'efforce de trouver de nouveaux canons, de nouveaux systèmes d'expression, de nouvelles formules...

— Mon cher maître, s'écria Schlemer dont le visage manifestait une jubilation sans mélange, mon cher maître, vous venez de composer, en quelques minutes, là, devant moi, l'essentiel du message que nous vous demandons. »

Patrice Périot comprit, mais un peu tard, qu'une fois de plus il était pris, qu'il allait donc céder et que cela lui coûterait une journée entière de travail, que cela créerait, en outre, ce que l'on nomme un précédent. Il était toujours ainsi la victime d'une imagination par trop vive et il risquait d'y perdre son précieux temps, sa solitude, sa liberté. N'importe, il éprouvait du plaisir à la pensée que Schlemer, l'un des porte-parole de l'extrême gauche, ne le considérait pas comme un futur « renégat », que l'on avait compté sur lui et qu'il ne pouvait vraisemblablement pas refuser de répondre. A ce moment, le gros homme remit le journal dans sa poche et fit un bruyant soupir :

« Vous ne pouvez imaginer, mon cher maître, comme je suis heureux de recevoir ici votre approbation, votre promesse, et de sentir qu'entre nous, malgré un mouvement d'humeur que, pour ma part, je comprends quand même, il n'y a rien de sérieux, rien d'irréparable. »

Un nuage passa sur le front de Patrice Périot. Il ne s'était donc pas trompé dès l'abord. Cette histoire de préface, de message, d'exposition, tout cela n'était évidemment qu'un prétexte pour le ressaisir et l'éprouver. Schlemer avait parlé de hasard alors qu'il s'agissait de connivence et de calcul. Il regagna son siège et dit :

« Rien de sérieux... rien d'irréparable... un mouvement d'humeur... » Je vous avoue que je ne saisis pas.

— Vous m'étonnez, mon cher maître. Notre ami Gérin-Labrit, que j'ai rencontré par chance, hier soir, m'a semblé si sincèrement affecté par un entretien qu'il m'a dit avoir eu, dans l'après-midi, avec vous, chez vous, que je ne peux pas croire... Vraiment, n'auriez-vous gardé aucun souvenir d'une conversation à laquelle, nous autres, vos amis du parti, nous attachons la plus grande importance ? »

A son tour, Schlemer s'était mis debout et il commença de déambuler de gauche à droite et de droite à gauche, comme il faisait à la tribune, quand était venue l'heure des effusions oratoires. Il remonta les manchettes de sa chemise, d'un geste familier, tel un prestidigitateur qui se dispose à faire quelque tour délicat, puis il tendit les mains en avant dans un mouvement pathétique.

« Avouez, dit-il, avouez que cette querelle a de quoi nous consterner. C'est au moment même où nous entendons vous donner une éclatante preuve de confiance en vous confiant la direction de cette revue *La Science libre,* dont vous a parlé Gérin, c'est au moment même où nous vous reconnaissons et saluons comme un des maîtres de la pensée populaire et de la pensée tout court, c'est à ce moment-là que vous nous tournez le dos en prononçant des paroles qui ne ressemblent pas à ce que nous savons de vous.

— Attention! Attention! dit Patrice Périot, le regard rétif. Attention! Je n'ai pas encore accepté l'idée que je la dirigerais, cette fameuse revue. Que voulez-vous de moi, Schlemer? Que me demandez-vous, vos amis et vous-même? Des travaux, des découvertes, des ouvrages? Ou bien une besogne de propagande pour laquelle je ne suis pas fait et à laquelle je refuse de me consacrer?

— Laissons la revue de côté, dit Schlemer, bonhomme, laissons cela. Nous en reparlerons plus tard. Mon cher maître, rien, jusqu'à cette fâcheuse querelle dont l'objet est sans importance, vous pouvez quand même l'avouer...

— Mais non, mais non! je n'avoue pas que cette querelle est sans importance.

— ... rien n'a troublé notre amitié, monsieur le professeur Périot. Nous avons, vous le savez bien, du respect pour votre caractère, pour votre œuvre, pour toute votre personne. Vous n'êtes pas, à nos yeux, de ceux qui, comme Anatole France, viennent à nous parce qu'ils pensent qu'il vaut mieux être porté qu'emporté. Nous vous avons marqué de mille manières notre respect, notre admiration...

— Pardon, pardon! Se servir de ma signature sans même prendre la précaution de m'en aviser, est-ce marquer du respect?

— Nous n'avons jamais pensé, poursuivit Schlemer imperturbable, à vous presser d'entrer au parti, par exemple. Nous ne le souhaitions même pas...

— Pour me laisser, peut-être, cette sorte de liberté que l'on permet à l'oiseau qui sert d'appeau, ou d'appelant...

— ... Je ne répondrai même pas à une supposition aussi injurieuse... Non, le jour que vous viendriez au parti serait pour nous un jour de liesse, je vous prie de le croire. En attendant, vous nous connaissez très mal. Vous ignorez tout de nos disciplines et de nos habitudes. Ça ne fait rien, ça ne fait rien. Nous vous prenons comme vous êtes; seulement nous vous demandons de nous accepter tels que nous sommes, avec nos défauts, peut-être, avec des défauts qui sont exigés par de dures nécessités. En échange de cette tolérance...

— Vous allez probablement me dire des choses que j'ai déjà entendues hier.

— C'est que ces choses méritent d'être répétées et prises en considération. Voyons, mon cher maître, soyez raisonnable, si vous me permettez de vous parler en ami, en ami déférent. L'avenir est au communisme, vous le savez.

— Ah! méfiez-vous, méfiez-vous! s'écria Patrice Périot. Il n'en faudrait pas beaucoup plus pour me détacher tout à fait, ce que vous ne cherchez pas, autant que je puisse voir. A partir du moment où le communisme est une bonne affaire, il cesse de m'intéresser. Si vous venez pour me promettre, par exemple, que mon nom sera, plus tard, attribué à l'une des grandes rues d'Ivry, ou de Villejuif, laissez-moi vous dire que vous me donnez envie de rire, et pourtant je n'y songe guère. »

Le silence tomba, dura quelques secondes et Patrice Périot, tout à fait exaspéré, fit le geste de prendre un livre et de l'ouvrir.

« Je suis consterné, déclara Schlemer de sa belle voix chantante. Je suis consterné. Vous nous aviez habitués, mon cher maître, à beaucoup d'amitié, de confiance, de compréhension. Eh bien, tant pis! nous ferons notre œuvre sans vous.

— Vous êtes consterné, répliqua Patrice Périot, et moi je vais d'étonnement en étonnement. Je suis surpris, par exemple, de voir des gens qui peuvent si bien se passer de moi revenir à la charge et même se livrer à quelque chose qui ressemble — passez-moi le mot — à ce qu'on appelle, si je ne me trompe, du chantage.

— Vous me demandez trop simplement de vous passer le mot, monsieur le professeur. Reconnaissez que c'est un mot bien gros et qu'il ne peut pas « passer », comme vous dites, avec facilité. Tous vos anciens amis seront navrés. Que pensera, par exemple, votre illustre confrère M. Rebufat? »

Comme Patrice Périot faisait le geste d'envoyer un noyau de cerise par-dessus son épaule, Schlemer ajouta d'une voix juteuse :

« M. Noël Rebufat est un homme de génie.

— Peut-être, dit Patrice Périot au comble de l'exaspération. Il y a des jours, voyez-vous, Schlemer? où l'homme de génie, pour moi, c'est celui qui me fout la paix. »

A peine le gros homme avait-il passé la porte, ce qu'il fit sans retard, Patrice Périot sentit aussitôt tomber sa colère. Il fut même sur le point de courir après le visiteur. Assurément ce visiteur avait été maladroit au possible. Il avait tout fait pour exaspérer Patrice. Mais quoi! Ce Schlemer n'était pas un mauvais garçon. Il s'était fort maladroitement acquitté d'une mission difficile. Patrice, lui, n'avait pas donné l'exemple du sang-froid, certes non!

Il comprit que sa chère solitude était gâtée, au laboratoire comme à la maison. Il reprit son chapeau, son imperméable et gagna la rue. Il se sentait irrité, certes, mais surtout malheureux et déçu. Tout conspirait à le priver de cette liberté d'esprit sans laquelle il ne pouvait pas travailler, poursuivre une œuvre qui était l'une de ses raisons d'être, oui, d'être encore... « L'œuvre et les enfants! L'œuvre et les enfants! L'œuvre et les enfants! » Voilà donc la phrase qui rythmait ses pas sur le trottoir de la rue Saint-Jacques. Il éprouvait encore ce malaise mal définissable qui l'avait étreint, la veille, à la pensée qu'on pouvait le tenir pour un homme infidèle à ses amitiés, pour un esprit étroit, satisfait, égoïste. Mais il sentait sa pensée, par coups d'ailes, s'élever au-dessus de toute cette chamaille. Il se prit à rêver ainsi. « J'ai, de bon cœur, et même avec élan, demandé que ces deux Italiens, ces deux proscrits, ne soient pas fusillés. Mais je voudrais aussi intercéder pour les fusilleurs, pour les puissants de la minute, pour les stupides maîtres de la minute. Ils en ont tout aussi grand besoin que les victimes. O monde misérable et hagard! Mais intercéder auprès de qui? Oui, auprès de qui? »

Il sentit qu'il allait sourire et il ajouta, mais sans parole : « Voilà une question que je ne poserai pas à mon Thierry. Il répondrait sans hésiter. Lui, Thierry, il n'hésite jamais. »

CHAPITRE VIII

La semaine qui suivit ces deux entretiens fut animée par nombre de menus événements qui pouvaient sembler fortuits mais qui, tous, tinrent Patrice Périot en haleine et aggravèrent son inquiétude. Ces événements devaient, par la suite, apparaître dans son souvenir comme le prélude absurde, et saugrenu parfois, à quelque rêve dramatique.

Le lundi matin, de bonne heure, en explorant les journaux dont on lui faisait le service, Patrice Périot aperçut un article intitulé *Les intellectuels au carrefour*. Il eut tout aussitôt la certitude que cet article le concernait et même qu'il lui était expressément destiné. Il le parcourut de l'œil. En fait, l'article ne manquait ni d'habileté, ni de vigueur et se résumait tout entier dans la péroraison. « Les masses laborieuses ont besoin d'intellectuels, il va sans dire, de savants, d'artistes, d'écrivains; mais elles savent maintenant qu'elles devront les former elles-mêmes, les tirer de leur propre substance. Les hommes de la multitude ont maintenant trop d'expérience pour attendre quoi que ce soit de ces intellectuels qui parlent si volontiers d'aller au peuple, mais qui, comme le biologiste Patrice Périot, par exemple, en qui nous avons mis de si grands espoirs, n'arriveront jamais à se délivrer de leurs préjugés de classe et ne seront jamais tout à fait à l'épreuve des subtils ou véhéments retours de l'esprit réactionnaire. »

« Ils sont étonnants! gronda, pour lui seul, Patrice avec humeur. Ils sont étonnants! Mon père était coupeur en vêtements, et il a travaillé, en sous-sol, pendant trente années, dans les ateliers du Bon Marché. J'ai fait toutes mes études avec des bourses ou des dispenses. Mais tout le monde sait que Gérin-Labrit est le fils du bâtonnier Gérin. Tout le monde sait que la maison Schlemer et Valdelaude était, en 1910, une des plus riches maisons de parfumerie de la place Vendôme. Où sont les bourgeois, là-dedans? Non! Non! quand même, c'est injuste et c'est révoltant. »

Petit à petit, l'espèce de remords qui l'avait torturé se colorait de rancune. Il avait, au commencement de cette querelle, pensé qu'il n'était pas tout à fait sans reproche, qu'il s'était, à deux reprises, montré vif et même tranchant. La balance commençait à pencher de l'autre côté. A l'idée que ceux qu'il lui fallait bien appeler ses adversaires, encore que le mot l'indisposât, à l'idée que ses anciens camarades attaquaient, il se sentait non certes content, mais confirmé dans sa nouvelle position, dans sa position de complète indépendance.

Il s'habilla très vite, sauta dans le métro, traversa Paris et s'enferma dans son laboratoire. Il y vécut une matinée tranquille, sédative et même féconde. Puis il se rappela qu'ils devaient déjeuner, Clément Romanil et lui, tous les deux, seuls, en garçons, dans un restaurant fort calme, sur la place de l'Odéon, dans un restaurant où ils auraient la chance de jouir d'une petite salle grande comme la main, mais bien close et paisible.

A midi et demi, les deux amis se rencontrèrent sur le trottoir de la rue Racine.

« C'est prodigieux, s'écria Romanil. Nous sommes les derniers...

— Les derniers à quoi? de quoi? pour quoi?

— Les derniers à observer les règles de l'exactitude.

— C'est vrai, dit Patrice. Mais j'y ai peut-être encore plus de mérite que toi. Mes chers enfants ne sont jamais, absolument jamais à l'heure. Ils se croiraient déshonorés s'ils ne me faisaient pas attendre. C'est un triomphe imprévu de l'Orient sur l'Occident. Cela m'inquiète parfois.

— Voilà, fit Clément Romanil, une inquiétude qui pourrait rassurer certains de tes vieux amis. Ce désaveu de l'Orient...

— C'est-à-dire?

— Non, non, je me suis promis de ne plus jamais te parler de ça, surtout quand je vois que tes fameux copains te taillent des basanes et te font des crocs-en-jambe.

— Décidément tu as tout lu. Tu es très bien renseigné, vieux frère. »

Les deux savants étaient maintenant assis face à face, dans la petite chambre semblable à une boîte à chapeaux, au premier étage du restaurant. Romanil tendit la main par-dessus la table, rencontra la main de son ami, l'étreignit et murmura :

« Je suis bien renseigné sur toi, parce que je te connais, parce que je t'aime depuis longtemps.

— Tu vois! tu vois! s'écria Patrice en proie à une émotion qui altérait sa voix. Tu vois que toi aussi, malgré ton scepticisme, tu aimes les hommes.

— Ah! mais non! Ah! mais pas du tout. Je t'aime, toi, Patrice Périot, mais je n'ai jamais dit que j'aimais les hommes. Il m'arrive de les plaindre et ce n'est pas la même chose. Vois-tu, Patrice? je suis naturellement pessimiste et, accidentellement, optimiste. Comprends bien : je suppose toujours que mes canailles de semblables vont me rouler, me voler, me mettre en lanières. Alors, quand ils oublient de se livrer à ces pratiques édifiantes, je suis aux anges. Quelle surprise! Quel bonheur! Quel enchantement! Maintenant, tu connais ma recette. Quant à l'article de leur sacré canard, je peux bien avouer que je l'attendais! Il y en aura d'autres.

— Ils feront ce qu'ils voudront, répondit Patrice Périot en baissant la tête. Ils diront ce qu'ils auront envie de dire. Rien de tout cela ne me détournera de la route que je me suis tracée. Je ne me séparerai pas du peuple de mon pays, même s'il se trompe... »

Patrice eut le sentiment qu'il se répétait, qu'il avait déjà dû dire des choses telles, et peut-être même en présence de Clément Romanil, que Clément Romanil, qui avait l'esprit aiguisé, l'allait traiter secrètement de radoteur.

« Même s'il se trompe, répéta le bourru. Voilà qui est sage et prudent. Cela prouve du moins que tu penses qu'il peut se tromper.

— Tu sais aussi bien que moi, Clément, qu'il ne se trompe, au fond, jamais de manière irréparable.

— En ce cas, grogna le vieux garçon, tu peux lui dire, toi qui as des audiences, qu'il n'a jamais eu une si belle occasion de ne pas se tromper. »

Ainsi ferraillant et plaisantant à demi, comme ils aimaient de faire, depuis leur jeune temps, les deux savants prirent un repas qu'ils arrosèrent d'une bonne bouteille de vin d'Arbois — en hommage à Pasteur, disait Romanil —, Patrice Périot se sentait soudainement détendu, presque allégé. Comme son partenaire, tout à la joie de leur intimité, semblait avoir posé les armes, Patrice disait d'une voix sentencieuse, en hochant la tête : « Je ne suis pas un illuminé. Mais une expérience communiste ne peut pas ne pas être faite. Elle sera faite, et sur une partie considérable de l'espèce. Tu verras...

— Non! grognait Romanil... verrai pas... suis trop vieux...

— Elle sera faite. Après quoi, l'humanité se tournera vers d'autres rêves. »

L'entretien se poursuivit un moment dans cette direction et Patrice, non sans étonnement, se surprit à parler comme Gérin-Labrit et même comme Schlemer, ce qui n'alla pas sans le vexer et lui faire rebrousser chemin. Mais, obstinément, Romanil revenait à son affirmation première :

« Verrai rien de tout ça! Toi non plus! Sommes trop vieux! »

Alors l'entretien tourna court et les deux savants quittèrent le bistrot, bras dessus, bras dessous, en devisant de la vieillesse avec cette sérénité des gens qui la voient approcher sans en souffrir encore trop vivement.

« La vieillesse, disait Romanil, la voix sentencieuse et l'haleine encore parfumée d'un petit verre de cognac, la vieillesse, vois-tu, c'est un secret. Et ceux qui détiennent ce secret l'emportent dans la tombe sans pouvoir en rien dire à personne. Les jeunes hommes... à propos des jeunes hommes, j'ai quelque chose à te dire tout à l'heure... les jeunes hommes parlent de la vieillesse d'un air entendu, les uns avec pitié, les autres avec ironie. S'ils savaient, s'ils pouvaient savoir ce que c'est que la vieillesse, ils perdraient tout aussitôt le goût de vivre. Ils se tueraient tout de suite. Toi, Patrice, tu as cinq ans de moins que moi, tu es jeune, somme toute. Méfie-toi! La vieillesse ne vient pas tout doucement, comme ils croient, les pauvres bougres : elle fond, comme un oiseau de proie. »

Ils parlèrent de la vieillesse, en descendant vers la Seine, et Patrice oublia tout à fait que Romanil avait quelque chose de particulier à lui dire au sujet des jeunes gens ou de certains jeunes gens. Puis ils parlèrent de la gloire. Patrice avait des idées sur ce grand sujet. Il murmura :

« La gloire s'use vite, du vivant d'un homme. Un

gaillard vigoureux, résolu — j'en ai connu —, peut tenir la scène pendant vingt ans, vingt-cinq ans. Et puis la foule se fatigue d'entendre appeler Aristide le Juste. »

C'étaient là des propos d'après la table, de ces propos apaisés qui n'intéressaient pas le fond de l'être, mais qui n'étaient pas désagréables et qui ornaient la digestion. Romanil répliqua, forçant sa voix rogue, à cause du bruit des voitures :

« Moi, tu sais, je n'ai aucune ambition.

— Mon cher ami, répliqua Patrice Périot, c'est une bien grande ambition que de se permettre de n'avoir aucune ambition. »

Pendant qu'ils cheminaient sur le trottoir étroit de la rue Mazarine, Clément Romanil dit encore :

« Pour les gens de notre sorte, le problème politique n'est pas à résoudre : il est à transcender. »

Et comme Périot s'arrêtait une seconde, l'air soucieux, Romanil reprit :

« Tu comprends, si tu veux percer un tunnel, vieil ami, tu y perdras tes forces et ce qui te reste de vie à vivre. Alors, il faut se résigner à ne pas forer la montagne, mais à la survoler. Dis-moi : nous allons entrer par la porte du fond, pour gagner cinq minutes et rencontrer moins de gens. Attends encore... ce n'est pas tout ça que je voulais te dire. Nous parlions des jeunes gens. Je ne voudrais pas t'inquiéter, surtout aujourd'hui que nous avons goûté deux bonnes heures de répit; mais on m'a parlé de ton garçon, Hervé. Inutile de te dire qui : ce sont des gens que tu ne connais pas. Moi, je n'ai pas d'enfants, je suis un ours et un ignorant, à ce point de vue; mais je te conseille de le surveiller, ce garçon. C'est tout. On m'a parlé de fréquentations déplorables. C'est tout. Je te le répète. Je ne sais rien de plus. Allons, mon cher. Tiens, voilà ton ancien complice, M. Ludovic Eymonnet, un de ces messieurs qui demandent l'évacuation pure et simple de toutes les colonies françaises, comme s'il s'agissait de vider une bouteille. »

Patrice Périot tourna la tête avec humeur pour ne pas voir Ludovic Eymonnet. Ils gravirent l'escalier sans plus rien dire et Patrice alla s'asseoir dans l'ombre, près du bureau, cependant que Romanil, les mains aux poches, se déplaçait entre les tables, en soufflant.

La séance était ouverte. Un homme à longue barbe, devant le tableau noir, lisait une communication sur l'appauvrissement des sols dans diverses régions du monde. Ce problème inquiétant ne semblait pas retenir l'attention d'un seul auditeur. Quant à Patrice Périot, il éprouvait une sorte de pincement au cœur. Oh! un pincement essentiellement moral et qui intéressait non le muscle gorgé de sang, mais cette partie de l'être que les savants mécanistes, eux-mêmes, sont bien obligés d'appeler le cœur, comme tout le monde. Il songeait, et c'était pour la millième fois : « Ma chère Clotilde m'a quitté trop tôt. Est-il possible que je sois un mauvais père? Hélas! c'est possible. Je suis du moins un père négligent. Mais quoi! Je ne peux pas tout faire : étudier les lois de la nature, écrire des ouvrages et faire l'éducateur. Hervé! Je ne pense pas assez sérieusement à ce malheureux enfant! Et le temps que je pourrais lui consacrer, ils sont tous là, les autres, à me le grignoter, à me le voler, avec leurs messages, leurs préfaces, leurs discours, leur perpétuelle figuration sur les estrades. Mais cela, c'est fini, c'est fini, bien fini. Je dois saisir l'occasion. »

A ce moment Patrice Périot entendit une voix qui murmurait, près de lui, dans le brouhaha de la salle. C'était le minéralogiste Pierquin, dont le regard distillait un perpétuel sourire corrosif.

« Il dit, souffla ce singulier voisin, il dit, Ponthieu, que vous prenez plaisir à parler, dans ces réunions des révolutionnaires, enfin, je ne sais pas comment vous les appelez, vous, les communistes... Il dit, Ponthieu, que c'est une habitude, que c'est un peu comme un vice.

— Laissez-moi vous répondre, Pierquin, souffla Patrice Périot d'un air excédé, que les propos de Ponthieu ne peuvent même pas m'atteindre et que j'ai d'autres soucis. »

A ce moment, Mathieu Pierquin fit une chose toute simple et pourtant surprenante : il introduisit deux doigts dans sa bouche, retira son dentier, l'essuya soigneusement, le considéra quelques minutes en plissant les paupières et poursuivit, d'une voix d'outre-tombe.

« Moi, je vous dis cela pour vous éclairer. Ponthieu, au fond de son cœur, voudrait sans doute vous voir entrer au parti communiste.

— Tiens! Tiens! Et pourquoi?

— Parce que, au cas d'un changement de gouvernement, Ponthieu vous ferait révoquer, oui, comme professeur à la Sorbonne.

— Ah!

— Oui! Il paraît que c'est possible. Et il paraît qu'il a, lui, un candidat tout prêt, tout cuit, dans sa poche. Un des vieux collaborateurs de la *Revue internationale*. »

Là-dessus, le minéralogiste ouvrit la bouche et remit, avec précaution, en place, l'objet qu'il en avait tiré. Puis il refit aussitôt son sourire et dit encore :

« Il abuse. Il est terriblement long.

— Qui donc?

— Celui qui parle, enfin, le géographe, notre confrère. Enfin, vous connaissez bien son nom. Vous ne connaissez que lui.

— Et vous?

— Moi, dit Pierquin souriant aux anges, je connais son nom depuis vingt ans, mais je viens de l'oublier.

— Il faut croire, dit Périot, que l'amnésie est contagieuse. »

Il se leva, soudainement écœuré, soudainement
exaspéré. Était-il possible qu'il eût, pendant ce joli
déjeuner avec son vieil et cher ourson de Romanil,
dépensé toute la joie dont il était capable ce jour-là?
Mais surtout, surtout que devait-il penser de cet
étrange avertissement, au sujet de son fils Hervé?
Était-il possible qu'il y eût là quelque chose de grave
et qu'il n'en eût rien vu? Lui, Périot, était-il un niais,
un aveugle, un étourdi? Il en aurait le cœur net et
cela le soir même.

Dès quatre heures, il quitta le Palais du quai Conti,
traversa la Seine avec le sentiment de passer une frontière, de s'échapper, de fuir la société des hommes, puis,
quand il fut parvenu sur la rive droite, il comprit qu'il
n'avait plus qu'à rentrer chez lui. L'idée de retourner à
la Sorbonne l'indisposait : il y rencontrerait sûrement
des collègues. Il faudrait palabrer, quereller peut-être.
Il n'était pas comme Romanil : il n'avait pas une vieille
maîtresse à qui rendre des visites babillardes et cha-
mailleuses. Il n'allait pas au café, comme Eymonnet que
l'on voyait aux terrasses de Saint-Germain-des-Prés.
La bibliothèque de l'Institut était un lieu de silence,
mais offrait trop de chances de rencontres. Alors il ne
lui restait qu'à rentrer chez lui, c'était même son ferme
propos, c'était même son strict devoir. Il allait rentrer
chez lui et savoir ce qui... ce que... savoir enfin tout ce
qu'il pourrait savoir. En attendant, il n'était pas trop
las et il pouvait rentrer à pied, malgré la côte de Montmartre, oui rentrer à pied puisque la marche était le
seul exercice possible à un arthritique de son espèce et
puisque la rue était son meilleur lieu de solitude, son
refuge, sa bruyante retraite.

Il se remit donc en route, rêvant et parfois même à
voix haute. Il se donna d'abord des raisons d'aller au

nord plutôt qu'au sud : « Ce qui s'accomplit au laboratoire est, en ce moment, un long travail de vérification
qu'il suffit de surveiller. Joubert et Tilloy sont de bons
élèves, des garçons d'avenir. Ce que je dois faire, maintenant, c'est m'attacher à ma rédaction. Et si les
gêneurs frappent à la porte, eh bien, Mme Hortense
appliquera les consignes. Des idées cardinales, nous
autres, hommes de laboratoire, nous en rencontrons
trois ou quatre dans notre vie et, pour certains, c'est
même beaucoup. L'idée bien éprouvée, démontrée,
mise en place, reste à construire l'édifice. »

Il eut un moment de flânerie délicieuse et s'arrêta
devant les vitrines et les étalages. Il n'avait certes
envie de rien, besoin de rien, mais il éprouvait un plaisir
ingénu : « La vie revient! Nous avons été si pauvres,
si dénués, pendant ces années de servitude! Je n'avais
qu'une pensée, sauver la vie de mes enfants, les nourrir.
Et quand il ne restait plus qu'un biscuit dans le compo-
tier et qu'ils étaient tous là, bien silencieux, à regarder
le biscuit du coin de l'œil pour savoir qui l'aurait, j'étais
désespéré, j'aurais voulu tirer des biscuits de ma vieille
carcasse. C'est terriblement pélican, ce que je dis là.
Romanil m'appelait toujours « le Pélican ». C'est
beau de voir de la nourriture et des étoffes. Malheureusement, tous ces pauvres gens ont peu de sous.
C'est une fausse abondance. »

Un peu plus tard, il se prit à penser, lui, le savant qui
avait la chance d'être en même temps connu et ignoré,
connu de ceux qui le devaient connaître, heureusement
ignoré des autres, lui le chercheur si bizarrement
célèbre et obscur, il se prit à penser avec une pitié
sincère à ces potentats qui dirigent des peuples parfois
immenses et qui n'osent pas se promener tout seuls
dans la rue. Et pourquoi donc? parce qu'ils ont peur,
peut-être, parce que le régime qu'ils représentent les
couve et les tient reclus comme on ferait d'un symbole,

d'une châsse, d'une relique. Il se félicita de pouvoir errer ainsi, les mains aux poches, sans être entouré par une nuée de motocyclistes, de policiers, d'hommes en armes. Puis il revint aux chicanes des jours derniers. « Il m'a dit plusieurs fois, Gérin-Labrit, et, cela, au temps de notre concorde, que je pensais et parlais en bourgeois. Qu'est-ce qu'un bourgeois dans son esprit? Et qu'est-ce qu'un bourgeois pour moi? Dans mon enfance, le but du régime était, malgré tout ce que l'on pourra dire, l'élévation constante et progressive du peuple. Aujourd'hui, la majeure partie des gaillards comme Gérin ne songe pas à l'élévation de qui que ce soit, mais à l'abaissement de ceux qui sont élevés, tout à fait comme dans le *Magnificat,* le chant préféré de mon cher Thierry. Mais si je dis des choses telles, je me ferai traiter de quarante-huitard. Alors? Alors? Suivre mon chemin tout seul, et consulter ma boussole personnelle. Au fond, ce qui a désaxé ce gentil Hervé, c'est peut-être une de ces avitaminoses mystérieuses dont nous ne savons presque rien. Le génie et les manques sont dans le germe, sans doute, mais aussi dans la nourriture. Les peuples affamés chroniquement n'ont plus de génie, même s'ils en ont montré jadis. »

A cinq heures et demie, Patrice Périot gravissait l'escalier de sa maison. L'appartement, dans lequel il pénétra sans sonner, au moyen de sa clef personnelle, était miraculeusement silencieux et paisible. Patrice Périot gagna la salle à manger. Par la fenêtre de cette pièce, il aperçut la maison des Ribeyrol. Les enfants d'Edwige couraient sur le balcon. Le « transbordeur » était accroché à la balustrade. De ce côté, nulle inquiétude. Au surplus, Périot savait qu'à la moindre alerte Edwige traversait la rue et venait carillonner à la porte paternelle. Le professeur revint jusqu'au couloir et prêta l'oreille. Nul bruit au fond des chambres. Un parfum de cigarettes anglaises flottait toutefois dans l'ombre et ce n'était pas un parfum refroidi.

Patrice Périot, par acquit de conscience, pénétra sans frapper dans la chambre de Thierry. Elle était vide et non point en ordre, mais abandonnée à cet innocent désordre qui était, en quelque sorte, un signe de santé morale. Une veilleuse brûlait près d'une statuette de la Vierge. Patrice haussa doucement les épaules et sourit : Thierry se privait d'huile à table pour entretenir cette petite flamme et il répondait, aux observations de son père : « Même si tu doublais la ration d'huile, je n'en mangerais pas. La vue de cette petite flamme, papa, me fait plus de bien que beaucoup de nourriture. Toute la science des physiologistes est à revoir. Si, si, je t'assure, papa! »

Patrice referma la porte et poursuivit son enquête. La chambre de Christine était fermée à clef. C'était une tradition. Christine disait parfois, de sa voix calme et pure : « Mes frères sont des agités. Si je laisse ma porte ouverte, je ne retrouverai plus rien, ni mes papiers, ni mes livres et ni mon linge peut-être. Je ne peux pas avoir un stylo à moi, pas un crayon, pas un tube de colle. Alors, je ferme. »

Patrice Périot, poursuivant sa visite, entra sans frapper chez Hervé. Le garçon était là, seul, au milieu de la pièce, assis sur une chaise et fumait une cigarette.

« Excuse-moi, fit le père, je ne pensais pas te trouver et je suis entré sans frapper. »

Hervé sourit faiblement, baissa la tête et fit un geste qui exprimait une grande indifférence.

Patrice Périot s'assit au pied du lit-divan et dit d'une voix amicale :

« Je ne t'ai pas dérangé, mon enfant...

— Non », répondit simplement le jeune homme.

Puis il ouvrit la bouche, regarda vers l'angle le plus sombre de la pièce et dit :

« Thierry, lui, ne s'ennuie jamais. Comment peut-on ne pas s'ennuyer? »

Patrice Périot ne sut que répliquer à cette interrogation étrange. Il avait souvent et cruellement souffert dans sa vie, mais il ne s'était jamais ennuyé. Pendant un long moment, il regarda ce garçon de vingt-deux ans — oui, bientôt vingt-deux ans, déjà! — ce garçon qui savait peut-être des choses que lui, le vieil homme, ne pouvait pas même imaginer. L'ennui, c'était un monde, c'était un continent inconnu, c'était un abîme sur lequel Patrice Périot ne s'était jamais penché bien attentivement. Chaque homme hantait, sans doute, des abîmes familiers. Les abîmes de Patrice n'étaient assurément pas comparables à celui qu'il sentait ouvert devant cet enfant. Car Hervé n'était qu'un enfant. Patrice apercevait la joue du garçon, à contre-jour, et c'était bien la joue duveteuse et encore très douce d'un enfant. Il demanda, pour rompre le silence et peut-être aussi pour dissiper sa propre timidité :

« Tu n'as besoin de rien, mon petit? »

Hervé remua les sourcils.

« Non, dit-il. J'ai besoin de tout. »

A ce moment-là même, il regarda son père en face, ce qui arrivait très rarement et il fit un sourire. Patrice eut d'abord le sentiment que ce sourire était étrange et presque déchirant. Mais la nuit commençait de tomber dans la chambre et Patrice n'était pas sûr de ce qu'il voyait. Il s'efforça de penser : « Il a souri. C'est le principal. » Et il regagna le couloir. Dans l'ombre du couloir, la porte refermée, il s'arrêta quelques instants. Une phrase de Descartes lui revenait à l'esprit, une phrase qui l'avait irrité longtemps parce qu'il croyait y déceler de l'ironie. Le philosophe avait donc écrit : « Il ne me reste plus maintenant qu'à examiner s'il y a des choses matérielles. » Quelle désinvolture, chez l'homme de la méthode! Ou quelle ivresse de

méditant! Lui, Patrice Périot, il avait été formé par
des maîtres austères et exigeants qui, dans la métaphysique, ne voyaient qu'une fumeuse rêverie. Lui, Patrice
Périot, il avait pensé, dans l'orgueil désespéré de sa
vingtième année : « Il ne me reste plus qu'à examiner
s'il y a des choses immatérielles. » Et maintenant,
d'année en année, il sentait croître, hors de lui, en lui
et partout, l'empire de ces puissances indéterminées qu'il
appelait les choses immatérielles, pour parler, en quelque sorte, comme le père de « la science admirable ».

Patrice dîna, ce soir-là, seul avec Mme Hortense et
Thierry qu'il trouva soulevé de lyrisme et d'une joie
trop éloquente pour n'être pas quelque peu contagieuse.
Puis le savant se retira dans son cabinet de travail où
il passa quatre heures parfaites. La maison était silencieuse. Patrice Périot, en s'endormant, songeait : « Il
ne faut quand même pas se tourmenter pour des
vétilles. En somme, ça ne va pas trop mal. »

Le lendemain, comme il écrivait, en robe de chambre,
au milieu d'un noble fouillis de manuscrits, de notes,
de brochures et de lettres non lues, il vit entrer Mme Hortense. Il fit, pour froncer les sourcils, un effort qui
n'arrêta pas cette personne autoritaire.

« Ils sont deux, déclara-t-elle.

— Deux? Voyons, madame Hortense, deux qui?
deux quoi? Comment voulez-vous que je le devine?

— Deux messieurs.

— Oui, mais je suis absent. Vous avez répondu que
j'étais absent.

— Je ne sais pas mentir. Le professeur me prie
toujours de mentir; mais je ne sais pas mentir. Ces
messieurs ont d'ailleurs dit que c'était très grave et
qu'il y allait de la vie de je ne sais plus qui. »

Patrice Périot fut bien surpris d'éprouver, en écou-
tant Mme Hortense, un sentiment comparable à la
délectation. En bonne logique, il aurait dû songer :

« Encore les amis de Gérin-Labrit! » Mais la logique est vraisemblablement un exercice contraire à la simple nature, car Patrice Périot se surprit à penser : « Je savais bien qu'ils auraient encore besoin de moi, qu'ils ne pourraient pas renoncer aussi facilement à moi! »

Il souleva puis laissa tomber ses coudes en affectant un air accablé. Puis il dit : « Priez ces deux messieurs d'entrer. »

Mme Hortense, une minute plus tard, fit donc entrer deux personnes que Patrice Périot considéra quelques secondes avec une attention soutenue. C'étaient deux inconnus, deux hommes bien vêtus dont l'un portait même la rosette de la Légion d'honneur.

« Excusez-moi, messieurs, murmura Patrice Périot stupéfait et confus. Vous me surprenez dans mon travail et dans mon costume de travail. Veuillez vous asseoir. »

Les deux visiteurs prirent place et le plus âgé d'entre eux fit alors les présentations :

« Je suis, fit-il, en tendant deux cartes de visite, M. Armand Riboulat, ingénieur des mines et Monsieur, qui m'accompagne, se nomme Otokar Nagy. Nous sommes, respectivement, vice-président et secrétaire du comité France-Transylvanie dont vous connaissez l'activité généreuse et persévérante en faveur d'une Transylvanie autonome, c'est-à-dire indépendante des Roumains, des Hongrois, des Allemands, des Polonais, des Valaques, des Ruthéniens et même des Grecs et naturellement des Moraves qui prétendent avoir des droits sur ce noble et malheureux pays. »

Patrice Périot fit, de la tête un signe courtois pour marquer en quelque manière qu'il n'ignorait pas les épreuves du peuple transylvain. Là-dessus, le visiteur reprit élan.

« L'un des membres de notre association, l'illustre sinologue Miron Geisenko, chassé de sa ville natale, Kolozsvar, à raison de sa généreuse activité émancipatrice, a dû retourner là-bas, sous un faux nom, pour affaires personnelles. Il a été dénoncé, emprisonné, puis transféré à Bucarest où les communistes l'ont condamné à mort. L'exécution aura vraisemblablement lieu la semaine prochaine si nous ne parvenons toutefois pas à émouvoir l'opinion publique du monde entier. Nous rassemblons déjà des signatures. Nous avons obtenu celle de Mgr Mortier, celle du pasteur Müller, celles de dix membres de l'Institut, celles de deux membres du Conseil d'État. Mais il nous est apparu que, peut-être... »

La tête inclinée, le menton sur la poitrine, Patrice Périot semblait en proie à de profondes réflexions.

« Oh! je crois deviner certaines de vos pensées, monsieur le professeur, poursuivit M. Riboulat, vous êtes connu pour un homme... enfin, pour un homme de gauche. Eh bien, c'est précisément ce qui nous a déterminés à faire auprès de vous cette démarche. Si vous avez la grande générosité d'appuyer nos efforts en contresignant la pétition que nous allons vous présenter, l'autorité dont vous jouissez dans les milieux communistes donnera grand poids à votre intervention. J'ose ajouter que Sa Sainteté le pape Pie XII, qui ne peut évidemment signer un texte de portée para-politique, nous a fait savoir qu'elle était tout à fait favorable... et même qu'elle formait des vœux... »

Patrice Périot écouta fort mal toute cette dernière partie du petit discours. Il avait d'abord pensé, mais furtivement, pour la forme, que c'était peut-être là quelque chose comme une machination des autres, des gens de l'extrême droite, que le fameux sinologue Miron Geisenko n'existait peut-être pas et qu'on cherchait à le duper, lui Périot, comme il avait été dupé déjà par les gens de l'autre clan. Geisenko? Miron Geisenko? Il n'avait jamais entendu prononcer ce nom à l'Institut de France par ses confrères des Inscriptions. Presque aussitôt, la pensée lui vint qu'en signant un texte de cette sorte au moment même où il se trouvait en conflit avec les gens de l'extrême gauche, il semblait chercher une rupture définitive, ce qu'il ne souhaitait quand même pas, et, surtout, surtout, il risquait non point d'influencer favorablement les gens de Bucarest, qui seraient tout de suite renseignés, mais au contraire de les irriter. Tout cela, c'étaient des pensées à peu près incommunicables, des pensées dont il ne pouvait rien dire à ses visiteurs. Enfin lui revenaient en mémoire certains propos qu'il avait tenus à cent et cent reprises, dans les controverses, à la Sorbonne, à l'Institut et ailleurs, propos qui se ramenaient tous à de telles sentences : « Mieux vaut intercéder pour un fantôme ou une marionnette que laisser condamner un innocent de chair et d'os. La peine de mort, en politique, est la honte d'un régime, la honte d'un peuple civilisé... »

Comprenant que le professeur n'écoutait plus, qu'il était en proie, de toute évidence, à quelque laborieuse méditation, les deux visiteurs attendaient, l'œil fixe, la bouche entrouverte. Enfin Patrice Périot releva les yeux et tendit la main.

« Montrez-moi cette pétition », dit-il.

Comme pour lui donner apaisement et répondre à l'une de ses pensées, le vice-président de l'Association France-Transylvanie dit en tendant une chemise de papier dur :

« Les noms des signataires sont publiés chaque jour en première page du journal quotidien *Le Monde futur*. »

Patrice Périot fit un geste vague, dans le dessein de montrer que son parti était pris. Il posa la chemise devant lui, lut le texte de la pétition, qui n'était certes pas agressif, interrogea les signatures éparpillées sur la feuille et logea la sienne dans un angle libre.

Les visiteurs partis, il fit effort pour retourner à ses pensées familières, non sans s'être dit et répété dix fois :

« Je suis dans mon chemin d'homme indépendant. Je demande que l'on ne tue pas pour délit d'opinion. C'est l'essentiel de mon sentiment. Donc, travaillons! »

Comme la reprise de l'effort ne s'annonçait pas facile, Patrice Périot gagna la salle de bains dans le dessein de se faire la barbe. C'était une opération malaisée, qui n'allait jamais sans écorchures et menus soins. Puis il entra dans sa chambre pour revêtir son costume de ville. Cependant il lui parut que l'on circulait dans les couloirs et il pensa que c'étaient les enfants qu'un caprice ramenait de bonne heure au foyer. Enfin prêt, il fut jusqu'à la cuisine pour y entretenir Mme Hortense de certaines précautions domestiques. Mme Hortense lui lança, par-dessus l'épaule, un coup d'œil caustique et dit :

« On est chez vous.

— Que voulez-vous dire, madame Hortense?

— Je veux dire, apparemment, que cette dame que vous attendez est dans votre cabinet de travail.

— Cette dame... Quelle dame? Je n'attends personne.

— Ce n'est pas ce que dit la dame. Elle m'a déclaré qu'elle avait rendez-vous et elle est entrée comme chez elle. Cette personne a dit qu'il s'agissait d'une affaire très grave. Ils disent tous que c'est grave. »

Patrice Périot était en train de se demander s'il n'avait pas oublié quelque rendez-vous accepté. De temps en temps, il lui arrivait de manquer ainsi des rendez-vous pourtant notés par écrit. Dont il se gourmandait amèrement par la suite. Il répondit, non sans prudence :

« C'est probablement la dame de l'*Assistance aux économiquement faibles*...

— M'étonnerait », répliqua d'un air sombre Mme Hortense qui se tourna vers sa besogne.

Patrice Périot parcourut donc l'éternel couloir jusqu'à son cabinet de travail. Il poussa la porte et la referma derrière lui sans cacher son étonnement et sa mauvaise humeur.

Ce n'était pas une toute jeune fille : elle avait peut-être vingt-cinq ou vingt-six ans. C'était assurément une belle fille, grande, le corsage plein, la taille cambrée. Elle portait une robe de printemps qui était en même temps élégante et défraîchie. Patrice, pour surpris qu'il fût d'une telle présence, et à cette heure du jour, vit que le corsage était décousu, peut-être même déchiré dans la ligne de l'aisselle et qu'on apercevait la peau sous une ombre frisée. La demoiselle était debout, derrière la table. Elle regardait Patrice Périot avec un extraordinaire sourire, dans lequel un observateur même novice pouvait discerner de l'ingénuité, de l'arrogance et une ombre de frayeur.

« Qui êtes-vous, mademoiselle? demanda le savant. Vous affirmez avoir un rendez-vous; mais je ne vous connais pas.

— Vous ne me connaissez pas, monsieur le professeur, mais moi, je vous connais très bien... »

Elle parlait le français avec un accent léger, musical, indéfinissable et qui semblait en quelque sorte tonalisé par le mystérieux sourire.

« Je vous connais très bien, monsieur. Vous ne me connaissez pas et vous ne pouvez pas me connaître. Je suis étudiante à la faculté de Nancy, élève du professeur Martz. Mon nom est Anna Boëff...

— Est-ce le professeur Martz qui vous envoie?

— Oui, monsieur.

— En êtes-vous bien sûre? »

A cette question proférée d'une voix mesurée, mais sévère, l'étrange demoiselle répondit par un éclat de rire et Patrice Périot se sentit parfaitement désorienté, car ce rire n'était point effronté, ni vulgaire, mais jeune, sans aucun doute et inquiet et peut-être nerveux.

« Le professeur Martz vous a-t-il donné quelque
lettre pour moi?

— Non! Il m'a conseillé de venir vous trouver, parce
que je prépare une thèse, et que j'ai besoin de vous
consulter personnellement sur l'un de vos ouvrages.
Tenez, regardez... »

Patrice Périot venait de s'asseoir dans le fameux
fauteuil amputé du bras droit. Par-dessus la table, la
demoiselle tendit un gros cahier qu'il saisit, qu'il ouvrit
d'un geste machinal et qu'il commença de feuilleter.

Les pages du cahier étaient couvertes de notes manus-
crites et parfois illisibles. Patrice Périot y déchiffrait,
non sans peine, des citations de divers biologistes
contemporains, citations dont plusieurs, empruntées à
ses ouvrages, étaient soigneusement marquées de croix
à l'encre rouge. Il en était à comprendre le sens de ce
grimoire quand il sentit soudain que la jeune personne
s'étais mise en mouvement, qu'elle avait fait le tour de la
table, qu'elle était venue se placer tout près de lui pour
lire en même temps que lui et par-dessus son épaule.
Un moment, il sentit contre son flanc droit quelque
chose de chaud qui devait être la cuisse ou la hanche de
l'étrange visiteuse. Mais il était fort irrité. Il était en outre
curieux de savoir ce que signifiait ce gribouillis dans
lequel son nom revenait à chaque page. Il commençait
à sentir de l'exaspération, à respirer fort et profondément,
tout en comprenant que l'air de la chambre avait changé
de qualité, qu'il était chargé d'un parfum en même
temps animal et chimique, celui de cette visiteuse inattendue, incompréhensible... Et, soudain, il sentit que la
demoiselle venait de lui passer un bras autour du col et
qu'elle se penchait à tel point qu'une chaude haleine un
peu pressée passait à coups brefs contre son oreille. Alors
il se retourna soudainement, repoussa le fauteuil infirme,
s'assit à demi sur la table et dit, comprenant qu'il n'avait
rougi que pour pâlir et perdre son sang-froid :

« Que signifie tout cela, mademoiselle? »

A ce moment, il vit une chose qui l'emplit de stupeur et presque de pitié. Ainsi placée, la demoiselle était éclairée par la pleine lumière de la fenêtre. Elle se prit à claquer des dents. Le bruit des mâchoires était insolite dans le silence de la chambre. Elle fit un effort pour ouvrir sa bouche, qui était belle et bien meublée. Patrice vit alors que la langue de la jeune fille tremblait au bord des lèvres. Il était en train de se ressaisir. Il dit, soufflant encore un peu de surprise :

« Il me semble que je comprends...

— Il n'y a rien à comprendre, s'écria la jeune personne. Je vous admire et je cherchais une occasion de vous le dire.

— Eh bien, non! articula Patrice Périot qui recouvrait ses esprits. Eh bien, non! Ne faites pas de roman. Je vous répète que j'ai compris. Mais quel choix singulier! C'est à n'y pas croire. Quel âge avez-vous?

— Vous êtes un grand savant! Je vous admire! J'ai vingt-cinq ans.

— Laissez-moi vous dire que l'expérience est faite et qu'il n'y a pas lieu de persévérer. »

La demoiselle se laissa tomber dans le fauteuil infirme, tira son mouchoir de son sac et commença de pleurer. Elle disait des choses sans suite. « Je suis venue de Nancy... Je vous jure... Le professeur Martz me parle toujours de vous... Je m'intéresse beaucoup à vos travaux sur le contrôle de la conscience...

— Non! Mais non! répétait Patrice Périot, l'air calme et décidé. Non! Laissez le professeur Martz, ou je le fais appeler au téléphone pendant que vous vous remettez de la poudre et du rouge. Non, mademoiselle, non! J'ai compris. Je vous assure que j'ai compris. En trois ans, vous êtes la troisième personne qui... enfin, que... Voyons, soyez raisonnable. Je suis un vieux monsieur très triste et très soucieux. Je ne vous en veux pas du tout. Non, je n'irai pas de l'autre côté de la table. Consolez-vous bien vite et toute seule. Vous n'êtes pas maladroite, je vous assure. Mais vous êtes encore très jeune. Je n'ai pas dit que vous n'étiez pas étudiante. Je n'ai même pas dit que vous n'êtes pas une élève de mon ami le professeur Martz, de Nancy. En attendant, soyez sage. Vous voyez bien que je ne me suis pas mis en colère. La seule chose que je peux dire, c'est que vous méritez mieux que cela. Ce ne sont pas des missions pour une fille de votre âge. Attention! Attention! Vous direz que j'étais malade. Surtout ne leur racontez pas que je vous ai reçue. Dites que ma porte était consignée, rigoureusement consignée. Et maintenant, que vous vous êtes refait une beauté, rien ne vous empêche de sortir. Je vais vous reconduire à la porte moi-même. C'est préférable. »

La demoiselle s'avança vers la porte et, comme Patrice Périot se trouvait là, nécessairement, elle le saisit par un bouton de son gilet, en un geste enfantin, gracieux malgré tout. Elle ne tremblait plus. Elle s'efforçait même de sourire, à la loyale, comme le bon joueur qui a perdu la partie et qui l'avoue. Elle tira deux ou trois fois sur le bouton de Patrice et elle dit :

« Dommage!

— Eh bien, mon enfant, murmura Patrice Périot, voilà, je veux bien le reconnaître, une parole très gentille. Alors, sans rancune! Et, soyez tranquille : je ne dirai rien, non, rien à personne. Adieu! »

Patrice Périot accompagna la demoiselle jusqu'à l'escalier. Au retour, il vit que la porte de la cuisine était entrebâillée. Il dit simplement :

« Nous pourrons déjeuner à l'heure habituelle, madame Hortense, avec ceux de mes enfants qui se trouveront là. »

Mme Hortense parut sur le seuil, grande, austère, la voix lugubre et réprobatrice. Elle dit en reniflant :

« Je vais faire un courant d'air. »

CHAPITRE IX

Il existait une sorte de gens que Mme Hortense, les enfants Périot et Patrice lui-même appelaient d'un terme catégorique : les visiteurs du lundi. Dès le mercredi et, plus tard, pendant toute cette semaine mémorable, il apparut que les visiteurs du lundi tendaient à devenir les visiteurs de chaque jour, les éternels visiteurs. Au commencement de la semaine, Patrice Périot avait éprouvé de secrètes inquiétudes à l'idée que presque toutes ces apparitions laissaient deviner quelque rapport direct ou lointain avec la querelle récente, avec cette querelle qui ne cessait de souffler des nuées dans la paix très précaire dont jouissait le savant.

La journée de mercredi s'annonçait bien. Patrice Périot avait travaillé depuis le petit matin. Il avait décroché résolument l'appareil du téléphone. Il avait entendu sonner déjà quatre fois et, chaque fois, Mme Hortense avait dû contenir l'agresseur, car personne encore n'était parvenu jusqu'au cabinet de travail, jusqu'en ce lieu que Christine appelait, de sa voix polaire « le saint des saints ».

Un peu avant midi, ce jour-là, Patrice entendit qu'on frappait au vantail. Il n'eut pas même le temps de crier « Entrez! » La porte s'ouvrit et un jeune homme pénétra dans la pièce. Il portait une chemise à carreaux écossais dont la plupart des boutons étaient détachés ou absents. Il semblait, en même temps, élégant mais négligé, pauvre et autoritaire. Il dit, sans même attendre qu'une question lui fût posée :

« Mon cher maître, j'ai trouvé toutes les portes ouvertes et j'ai heurté partout sans résultat, sauf ici même. Mon nom est Odilon Leméténier. Je suis rédacteur à *L'Espérance* et au *Bikiniste*. Je mène actuellement deux enquêtes de front et, sans vos réponses, je considère mes deux enquêtes comme incomplètes et même comme faussées. »

Puis, sans même laisser à Patrice Périot le temps de se ressaisir il exposa les thèmes de ses enquêtes. Ce n'étaient pas des thèmes de toute nouveauté. « Un intellectuel doit-il se tenir à l'écart de la politique ou doit-il se prononcer par la parole, par l'esprit, par l'acte? » Telle était la première question. La seconde n'était pas moins indiscrète et s'exprimait ainsi : « Quel est, à votre avis, le plus grand savant du xxᵉ siècle? » Le jeune homme avait, sur ce dernier point, consulté déjà plus de quarante personnes toutes éminentes. Dix d'entre elles s'étaient déjà prononcées pour Einstein et la plupart des autres avaient voté pour Éliacheff, astronome et mathématicien dont les ouvrages n'étaient pas encore traduits en français et que quatre personnes au monde se flattaient de comprendre en certaines de ses spéculations tout au moins.

Patrice Périot faillit succomber à la colère. Ce que voyant, le jeune homme lui dit, non sans hauteur, que ce genre de consultation permettait aux personnes célèbres d'assister avec décence les écrivains qui s'essayaient dans la carrière. Muselé, sinon convaincu, Patrice Périot parla de *Stello,* pour ce qui touchait à la première question; puis il refusa de répondre à la seconde enquête en disant qu'il manquait de recul, qu'il lui faudrait citer cinquante noms au moins, et qu'il risquait encore d'être fort injuste, la science, en certains pays, semblant mue par des équipes anonymes dont il n'était pas toujours possible de déceler le pilote avec certitude.

Patrice Périot se levait pour congédier l'importun quand Thierry fit, dans la chambre, une entrée qui n'était pas celle d'un être pesant et marchant, mais bien celle d'un oiseau, d'une flamme, d'une flèche, d'une touffe de vent.

« Papa! Papa! criait-il, j'ai besoin de toi, de ton attention, de ton cœur. Cinq minutes, cher papa! Cinq minutes seulement! »

Patrice Périot fut sur le point de remettre le journaliste aux mains de Thierry, pour faire reconduire l'indiscret jusqu'à l'escalier. Mais il se ravisa. Quelle confidence fantaisiste et imprévisiblement altérable n'arracherait pas au jeune fou, pendant la traversée de l'appartement, le rédacteur du *Bikiniste,* hebdomadaire illustré? Patrice accompagna donc l'intrus jusqu'à la porte. Puis il revint à son bureau. Le petit saint avait tranquillement pris place dans le fauteuil du maître de céans. Il sortit de sa poche une enveloppe, se leva, fit un bond jusqu'au plafond et cria :

« Papa, connais-tu l'abbé Broche?

— Non, mon garçon.

— C'est un catholique progressiste. Il est admirable! Nous nous disputons toujours, mais c'est un homme admirable! Hier, il m'a demandé de signer, avec lui, et une foule de gens très bien, une déclaration contre l'emploi de l'arme atomique. C'est formidable! Interdiction absolue de l'arme atomique. Je n'ai pas signé.

— Hein?

— Non, je n'ai pas signé. Le nom que je porte est, pour moi, quelque chose de sacré. Si je signe, moi qui ne suis qu'un freluquet, comme dit Mme Hortense, les gens ne regarderont même pas le prénom et ils penseront que c'est toi le véritable signataire.

— Tiens, tiens! murmurait Patrice Périot en caressant la joue de l'enfant du revers de l'index. Tu as pensé cela, toi, mon garçon. Tu ne peux pas savoir combien c'est intelligent et bien pensé.

— Oh! répondit Thierry d'une voix enthousiaste, je pense encore des choses mille fois plus épatantes que celles-là, papa. Tu ne peux pas imaginer.

— Ça ne fait rien, mon cher. Je trouve que cela, ce n'est déjà pas trop mal vu.

— Ah! mais attends, papa! Attends, ce n'est pas tout. J'ai refusé de signer pour la raison que je viens de te dire, mais comme je pense que la déclaration de l'abbé Broche est admirable, alors, c'est toi, papa, qui dois signer. »

Patrice Périot considéra Thierry en hochant la tête d'un air pensif et murmura :

« *Tu quoque, fili!*

— Pourquoi me dis-tu cela, papa? Je te connais : je suis sûr que tu es contre la bombe atomique.

— J'avais justement formé la résolution, depuis peu, mon cher garçon, de ne plus signer de manifestes, d'appels, enfin de ne plus signer que ce que j'aurais écrit moi-même. Eh bien, je ne peux rien te refuser, Thierry. Ma résolution prendra son effet à compter de midi. Donne-moi ce papier, mon enfant.

— J'en étais sûr! s'écria Thierry. Je ne pouvais pas douter de toi. Merci! Merci! »

Il allait s'envoler comme il était venu, d'un coup d'aile. Patrice le retint un moment, d'un geste puis, soudain, le libéra : « Non! pensait-il, pendant que l'enfant s'enfuyait. Si je lui parle d'Hervé, si nous avons tous l'air préoccupé d'Hervé, nous finirons par créer un cas Hervé. Donc silence! »

Il reprit place dans le fauteuil mutilé, murmura, serrant les lèvres : « Je crois bien qu'ils m'auront eu, cette fois encore », puis il écrivit, sur la page de gauche

de son gros cahier, cette phrase qui venait en conclusion
de diverses pensées : « Il nous faut un certain orgueil
pour imaginer que nous serions, nous, justement nous,
les témoins de la fin du monde. Et, d'ailleurs, ce serait
trop simple. Non, non! Le monde n'a pas fini de
souffrir. »

Le lendemain matin, Patrice Périot donnait son
cours. Il avait un peloton d'auditeurs fidèles et,
comme la matinée fut sans histoire, il en sentit un
étonnement voisin de l'inquiétude. Il regagna sa maison, tout dérouté à l'idée que nul ne lui avait rien
demandé. Il se rappela l'histoire des Romanoff qui,
chaque jour, recevaient un nombre considérable de
placets et qui, quand ils n'en reçurent plus, tombèrent
dans une grande angoisse. La comparaison le fit sourire.
Le reste de la journée devait d'ailleurs lui prouver que
l'heure de la solitude et de l'oubli n'avait pas encore
sonné pour lui.

Il reçut, dès le début de l'après-midi, la visite d'un
de ses meilleurs élèves, Gaston Tilloy, qui achevait sa
thèse et travaillait au laboratoire. Tilloy avait des
gants qu'il conserva, pour bien montrer qu'il faisait
une visite de caractère officiel.

« Qu'est-ce qui vous arrive, mon cher? dit Patrice.
Je vous ai vu ce matin et vous ne m'avez rien
dit. »

Tilloy possédait une voix de speaker, forte, bien
articulée, sympathique et morne. Il sortit de sa
serviette un paquet assez pesant. C'était le manuscrit
de sa thèse. Il prenait la liberté de demander au professeur de bien vouloir y jeter les yeux et de donner un
avis sans ménagement. Comme il ne s'en allait pas,
Patrice Périot commença de se gratter le cuir des
joues. Alors Tilloy tira encore quelque chose de sa
serviette : une lettre qu'il adressait au Centre de la
Recherche pour demander une subvention, lettre pour

laquelle il sollicitait une apostille. En rédigeant l'apostille, Périot pensait : « Il m'assomme. Il m'empêche de travailler; mais, du moins, nous voilà sortis de la politique. » A ce moment, Tilloy dit posément :

« On m'a fait remarquer, maître, que vous obtiendrez sans doute en ma faveur les voix de M. Noël Rebufat et de M. Ludovic Eymonnet, vos amis.

— Hon! grogna Périot, ce sont mes confrères plutôt que mes amis. » Et il songea tout aussitôt : « Terrible! Absurde! La politique est partout. » Là-dessus, Tilloy tira encore de sa serviette quelque chose et Périot faillit se mettre tout à fait en colère. C'était une boîte de bonbons.

« Ah! mon cher, rugit-il, vous êtes idiot! Je ne fais que mon devoir et vous me le rendez presque pénible.

— Monsieur, dit l'autre avec à-propos, c'est pour vos petits-enfants. »

Périot haussa les épaules. Le mieux était encore de prendre son parti, de faire bonne contenance. Il dénoua la ficelle de la boîte en cherchant quelques paroles encourageantes et cordiales. « Vous savez bien que j'ai de l'estime pour vous, Tilloy. Vraiment, vous n'aviez pas besoin... » Il ouvrit au hasard le manuscrit et murmura d'une voix sans conviction, mais non féroce : « Tout cela me semble très intéressant... » Il avait eu le temps de voir que le manuscrit était surchargé de ratures, peu lisible et riche en fautes d'orthographe. Il accompagna Tilloy dans le couloir et l'aida même à repasser son pardessus. Le jeune homme était si préoccupé, selon toute apparence, qu'il oublia de remercier.

A peine était-il sorti, Mme Hortense apparut à la porte de la cuisine en mettant un doigt sur ses lèvres. Elle souffla :

« Ce n'est pas tout cela. Il y en a encore un. »

Elle montrait la porte du salon. Cette porte s'ouvrit

et un personnage parut, vêtu d'un vêtement de velours et qui portait un rouleau de papiers dans la main gauche.

« Monsieur le professeur, dit-il, laissant chanter un étrange accent que Patrice ne parvint pas à situer avec une suffisante précision ethnique, monsieur le professeur, je ne vous demanderai qu'une heure.

— Ah! non! Ah! non! c'est impossible, gronda Patrice Périot tout à fait déconcerté. D'abord, monsieur, qui êtes-vous? Avez-vous reçu un rendez-vous écrit? Non! Alors il m'est impossible de vous recevoir.

— Monsieur le professeur, seulement trente minutes, seulement vingt minutes, s'il vous plaît. Je me permets d'affirmer que vous ne le regretterez pas. Je suis sûr d'avance de votre intérêt, de votre assentiment, de votre dévouée collaboration. »

Inexplicablement suivi, poussé, refoulé, Patrice Périot se retrouva bientôt en tête à tête, dans son cabinet de travail qu'il n'oserait bientôt plus appeler ainsi, avec ce personnage inconnu qui ouvrit le rouleau de papier et dit tout uniment :

« Je suis inventeur d'une méthode sûre pour stabiliser la monnaie, arrêter l'inflation, faire cesser la guerre des prix et des salaires, enfin rétablir l'harmonie sociale. Je connais vos opinions humanitaires et je vais vous donner lecture du premier chapitre de mon travail. Le titre de ce travail est : *Plaidoyer pour une monnaie subjective*. Le travail comporte cinq chapitres. Je vous affirme que j'apporte, par mes recherches, la solution à tous les problèmes dont souffre notre malheureuse société. Je commence.

— Non! non! non et non, dit Patrice Périot qui, pour se donner une contenance, venait d'ouvrir la boîte de bonbons. Non, monsieur. Je ne suis pas économiste.

— Je connais votre position et vos idées en face de la tragédie sociale.

— Non, monsieur, reprit Patrice. Il m'est impossible de vous écouter. Je suis pressé par mon propre travail. D'ailleurs... »

A ce moment, Patrice observa que le bonhomme au vêtement de velours venait de s'arrêter de pérorer et qu'il regardait fixement la boîte qui était pleine de chocolat. Et, tout à coup, avançant l'index et le pouce, le visiteur dit, l'œil étincelant :

« Je peux prendre? Un seul! Ou deux, peut-être, monsieur le professeur. »

Il prit et mit en bouche. Puis les lèvres noires de chocolat, il se lança dans des considérations extravagantes. Pour faire triompher son système, il lui fallait trouver cent cinquante mille francs, cent cinquante mille francs seulement... les frais d'impression. Malheureusement, il était très pauvre, si pauvre qu'il n'avait même pas mangé depuis deux jours.

Patrice avait d'abord pensé : « C'est un illuminé! » Puis il avait pensé : « C'est un inventeur! » Il recevait plusieurs fois par semaine des gens en mal d'invention. Il en vint finalement à des explications plus simples : « C'est un tapeur. Un simple tapeur. »

Il lui donna cent francs et lui laissa prendre encore quatre bonbons de ce chocolat destiné aux petits enfants. Il le poussa vers la porte avec assez de courage. L'autre disait, les yeux mouillés de larmes crémeuses : « Voyez-vous, monsieur le professeur, je suis prêt à tout pour rester un honnête homme, même à faire une petite malhonnêteté! »

Mme Hortense apparut à l'extrême seconde et prononça cette sentence :

« Le professeur est trop bon avec tous ces gourgandins. »

En fait, Patrice Périot se sentait quelque peu las et même hagard. Il pensait : « Nous vivons dans une époque diabolique. Nous vivons au milieu d'aliénés.

Je vais m'en aller d'ici et m'enfermer à la Trappe. Et tout de suite, ils parleront de ma conversion, dans leurs sales canards. Est-ce qu'ils vont me rendre fou, moi aussi? Est-ce qu'ils vont me dégoûter de la seule chose qui m'intéresse encore : mon travail? J'en suis à chercher mes idées et mes mots. Je suis obligé de tout noter. Je rattrape, à chaque instant, des pensées fortes qui m'ont coûté beaucoup de peine et que je sens sur le point de chavirer dans l'abîme. J'irais bien à la bibliothèque de la Sorbonne, comme un étudiant, ou à la bibliothèque de l'Institut. Mais quoi! Je n'y passerais pas dix minutes sans être relancé. Le monde est inhabitable. »

En vérité, c'était une semaine de grand désordre, une semaine d'effervescence. Et les jours qui vinrent ne furent en rien des jours de rémission, de pause et de recueillement.

Le vendredi matin, Patrice Périot, en dépit de toutes les consignes, fut assailli et tourmenté de façons diverses et imprévues. Il dut recevoir, parce qu'elle avait tempêté longuement à la porte, une femme charnue, arrogante, légèrement décorée, de la sorte de celles que les gens de la rue appellent des rombières, mot qui est peut-être venu de la géométrie par des voies mystérieuses. Elle s'occupait d'œuvres sociales fort honorables, autant qu'il y pouvait paraître, mais elle ressemblait aux personnes qui assurent diverses besognes de surveillance dans les maisons closes. Elle commença par rappeler sans ambages au professeur que l'association qu'elle dirigeait avait participé jadis à la souscription ouverte par divers groupements en vue de lui offrir son épée de membre de l'Institut. Après quoi, sans autres formules oratoires, elle annonça que son association donnerait un gala au bénéfice des enfants atteints de coqueluche pour leur permettre de faire, deux fois la semaine, une cure d'altitude en avion, au-dessus de la banlieue parisienne.

La dame parlait d'une voix puissante et, faisant état

d'opinions qu'elle disait « avancées » ce qui, dans sa bouche, n'était pas dépourvu de remugle, elle appelait Patrice Périot « citoyen ». Tout compte fait, elle lui demandait seulement d'accepter la présidence d'honneur du gala. Patrice, atterré, n'osa point refuser. La rombière s'en fut, non sans laisser un sillage de parfum. Patrice réfléchissait, le poing contre la tempe. Il disait : « Je ne veux plus accepter de service de personne. Je demande à payer tout simplement. L'argent est fait pour purifier la vie d'une foule de marchandages. » A peine cette décision prise, Patrice pensa que s'il n'avait jamais demandé de service pour ce qui le concernait lui-même, il était bien obligé d'en demander pour les autres et parfois même pour ses propres enfants. Ce souvenir le détourna de toute décision par trop héroïque.

Le même jour, au début de l'après-midi, Patrice qui achevait de boire une tasse de café, entendit le bruit d'une discussion qui devait avoir lieu dans le couloir et il comprit tout de suite que Mme Hortense battait en retraite devant un ennemi mieux armé, plus audacieux. Trois secondes plus tard, Mme Hortense entra, relevant d'une main humide le coin de son tablier blanc et tendant, de l'autre main, une carte de visite. Patrice Périot eut à peine le temps de jeter les yeux sur cette carte et d'y lire, à la volée, ces mots : *Carlos Winterbach, membre de l'Académie Oscar Wilde*. Déjà l'homme était dans la place et commençait de parler haut.

« Notre académie, disait-il, n'est pas encore officiellement reconnue; mais elle ne saurait manquer de l'être, et elle le sera sans doute avec votre aide, monsieur le professeur. Je vais publier bientôt l'œuvre capitale de ma vie, dont le titre est *Apologie pour l'inversion sexuelle*. L'ouvrage sera, je me hâte de vous le dire, abondamment illustré...

— Hein ? rugit Patrice Périot.

— Mais oui. Nous donnerons les portraits de tous les grands hommes qui ont pratiqué l'inversion sexuelle ou qui lui ont rendu hommage. Vous savez mieux que moi, monsieur le professeur, que presque tous les philosophes, presque tous les poètes et artistes qui forment à l'humanité une couronne impérissable, ont été les partisans, les adeptes, les laudateurs de l'homosexualité. Les idées de Janet et d'Antheaume sur ce grand sujet sont des idées de sectaires et de débiles. Les théories des Allemands sont absurdes, encore que l'Allemagne ait donné à l'univers d'illustres et admirables exemples d'inversion. Ce que j'entends démontrer, avec documents, tests, courbes graphiques à l'appui, c'est que la pédérastie, par exemple, est un facteur de bonne santé, c'est qu'elle conserve. La plupart des grands homosexuels deviennent vieux et le deviennent gaiement, car, au fond, ils donnent peu d'eux-mêmes. Ils pratiquent une sage économie de leurs facultés émotives. Les crimes passionnels sont assez rares chez les invertis de bonne compagnie. En temps de désordre et de crise morale, l'inversion sexuelle apparaît donc comme une garantie d'avenir pour l'humanité. Nous avons pensé, mes confrères de l'académie et moi-même, qu'un biologiste éminent pourrait seul ajouter à mon ouvrage la préface que cet ouvrage mérite. »

L'homme parlait debout, en jouant avec son monocle. Il était vêtu avec recherche. Il était presque impossible, même à un observateur attentif, de hasarder une supposition quant à l'âge de cet académicien particulier. Patrice, tout à fait pris au dépourvu, hochait la tête. Chose étonnante, il n'osait pas regarder le visiteur et il éprouvait une gêne qu'il ne parvenait pas à surmonter. Il dit enfin :

« Je dois vous avouer, monsieur, que je connais trop mal l'étrange problème auquel vous vous intéressez. Nous comptons assez peu de pédérastes dans la société scientifique. L'inversion sexuelle apparaît, aux gens de ma sorte, comme un divertissement de littérateurs, un accident plutôt pathologique...

— Un accident! Un divertissement! Et pathologique, encore! Monsieur le professeur, est-il possible que vous tombiez en plein dans les erreurs de Moll et de Kraft-Ebing? Laissez-moi vous dire, monsieur, que vous me scandalisez.

— C'est possible, monsieur, dit Patrice en se levant. C'est possible et c'est assez paradoxal. Ce qui est tout à fait certain, c'est que je ne ferai pas la préface que vous me demandez. Je ne la ferai pas, vous m'avez bien compris! »

L'homme saisit son chapeau gris clair et ses gants dont la manchette était ornée de dentelles. Il considéra quelques instants Patrice Périot et la colère retroussait le coin de sa lèvre :

« Je peux vous avouer, monsieur le professeur, que j'avais, en venant ici, des raisons pertinentes pour espérer un accueil tout différent. Mes devoirs, mes sincères salutations, mes regrets surtout, monsieur le professeur. »

Patrice Périot décida, sur l'instant, de ne pas même accompagner le personnage jusqu'à la porte. Il venait de tomber dans une méditation laborieuse : « Des raisons pour espérer un accueil tout différent... » Qu'est-ce que cela signifie? Il n'osait pas rassembler des souvenirs tout récents, rappeler à lui des propos très vaguement entendus. Non, il ne l'osait pas et ne le voulait pas. Mais il était soudain très triste. Sa maison, le lieu même de sa vie et de son travail, lui inspirait le découragement et la lassitude. Vrai! Que signifiait, que pouvait encore signifier cette vie incohérente! Que lui voulaient tous ces gens égarés, abandonnés à des passions discordantes, à des idées fixes ou immondes, à la colère, à l'erreur, à l'ambition, à la vésanie!

Pour se purifier, pour s'humilier aussi tout à fait, pour toucher le fond de ses tristesses familières, il décida de fermer son cahier de travail pendant une grande heure, de traverser Paris, de faire, dès ce vendredi soir, à son frère Gustave, la visite qu'il lui faisait en général le dimanche.

Dans le métro, par-dessus l'épaule de son voisin qui lisait un journal du soir, il aperçut le titre d'un article. *Si ceux que nous avons considérés comme nos maîtres nous abandonnent à l'heure du péril, nous ferons sans eux le monde futur.* Ce long titre était imprimé sur trois lignes, en caractères gros comme un doigt. « Aucune chance d'erreur, pensa Patrice Périot, voilà sans doute un gobelet de fiel qui m'est destiné personnellement. »

Il souhaitait, en rendant cette visite au valétudinaire, d'atteindre tout de suite le point le plus bas de la courbe, après quoi, par le jeu normal de la vie, sans doute n'aurait-il plus qu'à remonter, comme toujours, comme toujours jusqu'à ce moment. Parvenu boulevard Arago, Patrice Périot gravit donc les degrés de l'escalier ténébreux. Il tâtait l'enveloppe déposée dans sa poche, mais il pensait à autre chose : « Que voulait-il dire, quand même, avec ses raisons pertinentes, cet horrible individu ? »

Chose inattendue, le malade accueillit Patrice avec un sourire grimaçant qui était pourtant un sourire.

« Tu viens quand même voir le mourant ! Tu ne restes jamais longtemps, tu ne me dis pas grand-chose d'intéressant ; mais, du moins, tu viens. Tes enfants ne viennent jamais.

— Excuse-les, Gustave, ils ont mille soucis, et leur vie à faire... Moi-même, qui vis auprès d'eux, je ne les vois pas souvent. »

Il ajouta, très doucement, à voix basse : « Je ne vois pas mes enfants, je ne vois guère mes meilleurs amis, je ne me vois pas moi-même... »

« Hein? grogna le moribond, l'oreille soudain en éveil.

— Oh! rien, des réflexions moroses.

— Alors, tu ne vois personne!

— Si, si, malheureusement. Mais tous ces gens que je vois, je les vois à contrecœur. »

Le malade bâilla longuement et dit encore :

« Hortense, ton Hortense...

— Oui.

— Elle ne m'aime pas. Elle ne vient jamais me voir.

— Elle est accablée de travail, comme tout le monde.

— Oh! ça ne fait rien. Elle est négligente. Rappelle-toi ce que je t'ai dit à la mort de Clotilde. Je pouvais encore marcher, en ce temps-là. Hortense avait noué un mouchoir pour fixer le menton de Clotilde. C'est la moindre des choses; mais elle ne lui avait pas mis de brillantine à ta pauvre Clotilde. On met toujours de la brillantine aux femmes, quand elles sont mortes. C'est l'usage. Pas à moi de te l'apprendre. »

Puis, sans transition, il changea de thème et redevint acide, à son ordinaire :

« Toi, Patrice, tu es entouré d'une foule de médiocres. Oui, je sais, cela te donne l'illusion d'être quelqu'un. Question de proportions, comme toujours. Tous ces gaillards, avec qui tu perds ton temps, mon cher, tous ces gaillards ne seraient absolument rien sans leur sale politique. Ah! vrai! penser que mon frère, mon frère à moi... »

Patrice comprit que la visite avait suffisamment duré. Il serra la main de Gustave, s'excusa confusément et se jeta dans l'escalier. Il disait, en tournoyant dans l'ombre : « Si j'avais jamais des propensions à l'orgueil, je n'aurais qu'à venir voir Gustave. Enfin, me voilà dehors. Je suis la seule personne, dans le monde où je vis, la seule per-

sonne qui sache se lever et partir. Quel orgueil, encore!
Mais c'est comme ça. Partir est un art trop peu connu. »
    Comme il allait vers la station du métro, sans trop
se presser, il aperçut un égout ouvert. Une petite balustrade métallique était disposée autour du trou. Un
égoutier veillait, une lampe à l'acétylène entre ses
bottes de caoutchouc. Patrice, un moment, regarda vers
le fond où se perdait une échelle de fer et d'où montait
une vapeur fade et nauséabonde.
    « Qu'est-ce que ça peut vous faire, à vous? demanda
l'égoutier, la voix gouailleuse et farouche.
    — Oh! dit Patrice en levant la main, j'en explore
chaque jour de plus profonds et de plus tristes, et qui
ne conduisent nulle part. »
    Il se remit en route, traversa Paris, sous terre, debout
dans la foule, une fois de plus, et dit, en arrivant chez
lui : « Sûrement, il en est venu encore une demi-douzaine. Ma vie est définitivement perdue. Je vais peut-
être trouver assis, sur mon bureau, un bonhomme
extravagant... »
    Ce n'était pas un bonhomme, mais une jeune fille.
Mme Hortense en avisa le professeur à voix basse, dès
la porte et elle ajouta même :
    « Cette fois, cette fois, c'est terrible! Pas d'autre
mot. »
    Il était en effet difficile de regarder sans commiséra-
tion et même sans effroi la jeune fille qui se trouvait
assise dans le bureau de Patrice Périot. Elle avait à
peine plus de vingt ans. Son visage était d'une pâleur
parfaite qui n'était ni celle des morts, ni celle des
cancéreux, mais bien celle que l'imagination prête aux
fantômes. Elle ne quitta même pas sa chaise et fit un
signe de tête quand Patrice Périot vint prendre possession du fauteuil légendaire. Il y eut d'abord un long
moment de silence pendant lequel la jeune fille, les
lèvres serrées, regardait dans l'angle des murailles,

alors que Périot, interdit, manœuvrait le coupe-papier de bois que ses enfants lui avaient offert pour sa fête, après la libération. Il finit pourtant par se dominer et demanda :

« Que puis-je faire, mademoiselle, pour vous être utile? »

La jeune fille ouvrit la bouche et dit, d'une voix neutre :

« Mon père est condamné à mort. Il sera fusillé ces jours-ci. Peut-être la semaine prochaine, peut-être demain. Je ne sais pas. »

Il y eut un long silence et elle ajouta :

« Je m'appelle Louise Delavanne. Mon père est Raymond Delavanne. Il est condamné pour intelligences avec l'ennemi. »

Patrice Périot ne pouvait pas ne point avoir connaissance de ce procès confus et déchirant qui avait été jugé à Paris, quelques semaines plus tôt. Il dit, la voix brisée, maîtrisant mal son émotion :

« Que puis-je faire, moi, mademoiselle?

— Vous êtes un grand savant et tout le monde vous respecte.

— Hélas, non! mademoiselle.

— Écrivez une lettre, monsieur. Écrivez au président de la République ou au chef du gouvernement. Je ne sais pas. Personne ne veut rien faire. Alors, vous, monsieur, écrivez! »

Patrice Périot prit dans le tiroir des feuilles de papier et il commença d'écrire. Il dut trois fois déchirer le papier et recommencer car il se sentait impuissant à maîtriser les mots, et maladroit, maladroit! Pour finir, il rédigea une lettre assez courte, mais dont il parla dans la suite en disant qu'elle lui semblait de nature à remuer l'homme le moins sensible. Il passa la lettre, par-dessus la table, à la jeune fille qui dit :

« Pardonnez-moi, je ne suis pas sûre de pouvoir lire. Mais j'ai confiance en vous, monsieur. »

Il glissa la lettre dans une enveloppe, écrivit l'adresse et donna la lettre à la jeune fille en s'inclinant profondément. Mais il pensait : « Aux yeux de cette malheureuse, je suis un savant compromis, un complice en quelque mesure de ceux qui ont jugé son père, dont je ne sais d'ailleurs à peu près rien. Et c'est pour cela qu'elle vient me voir. »

Le reste de la soirée fut donné à des méditations douloureuses dans lesquelles il n'y avait guère place pour un travail efficace. Il s'efforçait d'imaginer d'affreuses douleurs physiques ou morales et se demandait comment il pourrait les supporter. Il cherchait, à ces misères de son rêve, des allégements raisonnables, des remèdes idéologiques.

Pour mettre un terme à de tels exercices, il se fit une tasse de tisane et prit un comprimé soporifique. Il eut une nuit non pas délivrante, mais hantée de cauchemars absurdes qu'il jugea même dégradants. Patrice Périot ne trouvait jamais la moindre consolation aux délires oniriques.

Par une mansuétude bien étrange du sort, il parut que cette semaine extravagante allait s'achever sur des heures apaisantes. Se jugeant las et même souffrant, Patrice Périot se mit par téléphone en communication avec son laboratoire, annonça qu'il resterait chez lui tout le jour, donna divers avis à ses élèves pour les expériences en cours et se remit à son labeur de rédaction avec la certitude qu'il n'avancerait point, qu'il ne ferait rien d'utile. Or il travailla la plus grande partie du jour dans une solitude magnifique et avec un succès fort honnête. Il murmurait parfois, dans les minutes de répit : « C'est prodigieux! C'est presque déconcertant! Même les fâcheux, même les empoisonneurs font la semaine de quarante heures. Quelle belle chose que la discipline! »

Vers la fin du jour, Patrice entendit sonner à la porte. Une voix retentit dans les couloirs, une voix qu'il reconnut tout de suite. C'était Romanil. Jugeant qu'il avait assez travaillé tout le jour, qu'il méritait bien un moment de détente, Patrice Périot se réjouit à la pensée de recevoir la visite de Romanil.

Le vieil homme entra dans la pièce avec des grâces de buffle, en soufflant, en reniflant, en déplaçant les sièges. Puis, tout de suite, les bonjours donnés, il se frappa la poitrine.

« Mon vieil ami, je suis honteux, désolé, dégoûté : je viens te demander un service... Et ce qu'il y a de plus grave, reprit Clément Romanil, c'est qu'il s'agit d'une chose ridicule, d'une chose humiliante. Je viens te parler de Légion d'honneur. »

Patrice Périot eut le temps de croire que Romanil, qui devait être officier de la Légion d'honneur, mais qui ne portait jamais son insigne, venait l'entretenir, lui, Périot, d'une promotion éventuelle dans l'ordre. Il eut même le temps de penser : « J'aurais mieux aimé autre chose. C'est bien extraordinaire de sa part. Comme on peut changer en vieillissant! » Mais Romanil s'était ressaisi de la parole et Patrice dut reconnaître qu'il avait anticipé l'avenir de manière hasardeuse.

« Mon pauvre ami, dit le vieil homme, il s'agit de Vigouroux, le maître de conférences, notre presque-collègue, si j'ose dire. Il n'est encore que chevalier et je crois qu'il va en faire une maladie. Comme le père Lepreux, tu sais? du P. C. B. Tu te rappelles bien le père Lepreux! Il n'avait jamais songé à la Légion d'honneur. Il avait déjà plus de soixante ans quand je ne sais plus qui lui a mis cette idée dans la tête. Il en est devenu fou. Il ne pensait plus qu'à cela. Il faisait démarches sur démarches. Il enquiquinait tout le monde. Il a fini par en mourir. Il a été nettoyé en six mois et il n'a pas été nommé, évidemment. Eh bien,

Vigouroux s'est aperçu qu'il était chevalier depuis vingt ans et que c'était une injustice parce que tous les gens de son âge ont au moins la rosette. Il s'est mis à maigrir et il est devenu quinteux. Alors, moi, je fais de mon mieux, mais je n'ai pas de relations. J'ai écrit une lettre au ministre. Veux-tu la signer avec moi? Deux membres de l'Institut, dont un prix Gordon Pain... Ça va faire des étincelles et nous décrocherons l'objet. »

Patrice Périot était incroyablement soulagé et même heureux. Romanil restait Romanil et s'il demandait quelque chose ce n'était pas pour lui. Décidément, la vie réservait des haltes, des reposoirs, des compensations, des dédommagements. Patrice Périot signa la lettre avec enthousiasme. Après quoi, les deux amis se prirent à deviser en toute franchise et sérénité sur le sourcilleux problème des honneurs. Romanil disait des vérités à la Romanil :

« Pour la plupart des hommes, il vaut mieux se mettre en règle avec ces trucs-là, je veux dire les honneurs. On ne peut jamais affirmer qu'on ne deviendra pas une vieille savate et qu'alors on ne bavera pas pour avoir tout ce qu'on a refusé dans son jeune temps. As-tu connu Léon Resillod? Non! C'était un homme remarquable... »

Clément Romanil n'eut pas le temps de raconter l'histoire de Resillod, car, juste à ce moment-là, Christine-Véra entra dans le cabinet de travail. Elle dit, de sa voix atonale :

« Pardon! Je pensais que tu étais seul, papa. Je reviendrai.

— Je sors, je sors, fit Romanil en faisant un effort pour se lever. C'est moi qui vais partir. D'ailleurs il est tard. »

Il dit et ne bougea point de manière sensible. Patrice Périot, depuis un moment, éprouvait une sourde inquiétude. Il avait envie, mais sans bien se l'avouer à lui-même, d'interroger son vieil ami à propos de cette phrase presque incompréhensible, sur Hervé, cette phrase lancée, l'autre jour, dans le désordre fumeux de leur colloque. Alors il s'entendit soudain demander :

« Ton frère Hervé doit-il dîner avec nous, ma petite Christine? »

La jeune fille qui semblait vouloir se retirer, fit un pas, puis deux pas dans la pièce et dit :

« Je pensais, papa, que tu avais remarqué, comme nous tous, qu'Hervé n'est pas rentré depuis trois jours.

— Trois jours! répéta Patrice Périot. Trois jours! Et il n'a prévenu personne? Pourquoi ne m'as-tu rien dit?

— Oh! murmura la jeune fille, l'œil fixe, je ne suis pas chargée de surveiller Hervé. »

Elle ajouta, sans avoir l'air de comprendre qu'elle venait de prononcer une phrase qui remontait du fond des âges :

« Hortense vient de me dire qu'Hervé a laissé une lettre sur ta table. »

Patrice Périot leva les bras au ciel. Il répétait : « Une lettre! Mais je n'ai rien vu. Et comment la retrouver dans ce fatras? »

Christine vint jusqu'à la table et, de sa petite main fine et froide, elle fouilla dans les papiers. En deux secondes, elle trouva une enveloppe blanche, exacte-ment fermée, sur laquelle était écrit « pour papa ».

Patrice Périot saisit l'enveloppe et murmura, l'air inquiet :

« Tu me parlais de Resillod... »

Mais il tenait la lettre en l'air et ses doigts trem-blaient d'agacement, d'inquiétude peut-être.

« Lis la lettre », dit Romanil dans un souffle.

Patrice Périot ouvrit l'enveloppe et lut la lettre, assez

vite d'abord, puis une seconde fois. Romanil et Christine remarquèrent tout de suite qu'il devenait tout doucement très pâle. Il dit encore, en se levant :

« Attends un moment, mon cher ami. Je dois donner un coup de téléphone. »

Le téléphone était dans la pièce voisine. Christine et Romanil entendirent Périot feuilleter longuement l'annuaire, puis il forma sur le cadran le chiffre demandé, puis un entretien s'engagea dont on percevait des bribes : « Allô! Allô! l'Institut médico-légal. Oui. Ici professeur Périot, membre de l'Institut. Ah! vous alliez téléphoner... »

Il y eut encore une bouffée de paroles confuses où il était question du pont de Billancourt. Puis les deux témoins comprirent que Patrice Périot laissait tomber l'appareil sur la table sans pouvoir le raccrocher correctement. Puis la porte s'ouvrit de nouveau et Périot entra. Il alla, pesamment, jusqu'à son fauteuil, s'assit, releva la tête pour montrer une figure ravagée, méconnaissable et dit :

« Pardonne-moi, Clément, mon fils Hervé est mort. Je viens de l'apprendre avec certitude. »

Il n'en dit pas plus et tomba, le visage dans les paperasses accumulées sur la table.

CHAPITRE X

Il apparut assez vite, contrairement à ce qu'avaient pu, sur le moment, redouter Clément Romanil et peut-être même la très secrète et silencieuse Christine, que Patrice Périot ne souffrait point d'une atteinte grave, qu'il n'avait point du tout reçu ce que les médecins appellent d'un mot latin qui signifie « le coup », qu'il n'était en aucune manière paralysé, que son cœur et ses artères allaient résister à la douleur, qu'il avait seulement perdu connaissance par l'effet d'une trop cruelle et trop déchirante émotion, qu'il devrait savourer, qu'il devrait épuiser la coupe d'angoisse et d'amertume.

Pendant tout le temps que dura la syncope, il tint, étroitement serrée dans sa main droite, la lettre qu'il avait trouvée sur sa table et dont personne, d'ailleurs, n'entreprit de le dessaisir. Transporté sur le divan de son cabinet de travail, cela non sans peine et par les soins conjugués de Romanil, de Christine, de Mme Hortense, d'Edwige appelée tout aussitôt, il revint à la conscience du monde au bout de quelques minutes en se lamentant et en prononçant à voix basse, des paroles non sans doute dépourvues de suite, mais pour lui seul intelligibles, selon toutes présomptions.

Romanil avait mandé, sans retard, le docteur Chabot, témoin de tous les événements mémorables survenus dans le clan Périot depuis plus de trente années, ami fidèle et perspicace. Il arriva pour rassurer tout le monde, en ce qui concernait du moins Patrice. Les rites de son ministère accomplis, Chabot eut, avec le malade, un entretien dont nul ne sut rien. Au sortir de cet entretien, Chabot déclara seulement que Périot devait garder la chambre ce soir-là, mais qu'il pourrait sans doute se lever dès le lendemain, que ce lendemain serait donc un dimanche, que l'Institut médico-légal serait inaccessible, mais que lui, Chabot, y avait ses entrées, qu'il devait, avec au moins une personne de la famille, aller sans retard faire le nécessaire, reconnaître le corps, s'occuper de démarches éventuelles, enfin qu'il était tard et qu'il n'y avait pas de temps à perdre.

C'est alors que le mari d'Edwige, Maurice Ribeyrol, révéla de très surprenants mérites que nul n'avait encore eu l'occasion de lui reconnaître. Arrivé sur les pas de sa femme, il la laissa pleurer copieusement, se composa, séance tenante, un visage non point recueilli, mais sérieux ou mieux encore digne et solennel, puis il se mit à la disposition du docteur Chabot. Mme Hortense, qui avait vu grandir le malheureux Hervé, s'était retirée dans la cuisine. Ses traits étaient ceux non d'une personne qui souffre, mais bien d'une personne qui vient d'être cruellement mortifiée. A Christine, qui cherchait refuge près d'elle, Mme Hortense répétait, l'œil fixe :

« Il fallait être aveugle! Moi, j'attendais cela chaque jour, depuis plus d'un an. »

Elle considéra, par les portes entrouvertes, Maurice Ribeyrol, qui s'entretenait, l'air capable et intéressé, avec le docteur Chabot et le professeur Romanil, puis elle dit en montrant du coude le mari d'Edwige :

« Il est à son affaire, maintenant. Celui-là, un mort dans la maison et c'est tout de suite pour lui. Deux morts dans une maison et il lui en faut au moins un! »

En vérité, Maurice Ribeyrol devait se montrer, dans

les jours suivants, parfait ordonnateur de cérémonies mortuaires. Il ne quittait plus ses gants, donnait des ordres, manifestait une autorité que nul ne songeait d'ailleurs à discuter ni surtout à mettre en échec.

Thierry survint, le soir assez tard, apprit l'événement, se précipita dans la chambre de son père et couvrit de baisers les mains du vieil homme en sanglotant. Christine parut sur le seuil de la chambre et dit :

« Tu lui fais plus de mal que de bien. Le docteur Chabot a recommandé le calme. »

Patrice Périot fit signe qu'il souhaitait de garder Thierry près de lui. Le garçon resta donc accroupi sur un coussin, près du divan où reposait son père. De temps à autre, d'une main tâtonnante, Périot cherchait la tête de Thierry et lui caressait les cheveux. Christine regagna donc la salle à manger où se tenaient Edwige et Mme Hortense. Une sorte de torpeur tomba sur la maison. Edwige avisa sa servante, par le moyen du transbordeur, qu'il fallait coucher les enfants et qu'il venait de se passer un événement très grave.

Environ la dixième heure, le docteur Chabot revint avec Maurice Ribeyrol et Clément Romanil.

Le corps trouvé dans la Seine par des mariniers, près du pont de Billancourt, alors qu'il flottait entre deux eaux, était bien celui d'Hervé Périot. Ribeyrol, Romanil et Chabot l'avaient reconnu tout de suite, bien qu'il fût déjà corrompu, déjà gonflé par un assez long séjour dans l'eau. Le portefeuille du malheureux était dans sa poche, contenait de l'argent et une carte d'identité. Les services de l'Institut médico-légal se préparaient à instruire le professeur Périot de la triste découverte quand il avait lui-même téléphoné. Il restait apparemment quelques points à éclaircir, car Chabot demanda qu'on le laissât seul un instant en société du professeur, ce dont Maurice Ribeyrol parut offusqué. Thierry lui-même se leva, reniflant et titubant, pour quitter la pièce. Chabot ferma la porte et vint s'asseoir au chevet de Patrice Périot.

« Me rendra-t-on le corps de mon fils? demanda le professeur.

— Bien certainement, répondit Chabot; mais il ne peut revenir à votre domicile.

— Pourquoi?

— C'est le règlement. Le permis d'inhumer, de toute façon, ne peut être délivré que si le Parquet a la certitude que cette mort est volontaire et non criminelle, que le petit Hervé s'est tué lui-même et qu'il n'a pas été tué. »

Un grand silence tomba qui dura longtemps. Le médecin dit encore :

« Vous souhaitez sans doute vous-même que la lumière soit faite et, s'il y a des coupables, qu'ils soient recherchés et châtiés. »

Le silence revint, pesant. On entendait, dans l'appartement, à travers les cloisons, des chuchotements et, parfois, un éclat de voix tout aussitôt tempéré, dominé.

« Il n'y a pas lieu de chercher des coupables, je veux dire des coupables directs, des criminels : mon enfant s'est tué.

— Comment le savez-vous?

— Il me l'a écrit, mais j'ai lu la lettre trop tard. L'eussé-je lue plus tôt que je n'aurais même pas pu trouver mon fils Hervé dans la fourmilière parisienne.

— Il vous a donc prévenu, mon cher ami...

— Oui, et, avant la lettre, il m'avait souvent, comment dire? menacé d'en venir là. Mais je finissais par ne plus m'en inquiéter, par ne même plus m'en irriter. Ce garçon était ce que vous appelez, je crois, un anxieux et un mélancolique, peut-être un persécuté, je ne sais pas, je ne peux pas dire. »

Patrice Périot fit un geste de douleur et de désespoir. Alors le médecin revint à la charge, patiemment.

« Pouvez-vous me montrer cette lettre? »

Le visage de Patrice Périot exprima soudain une vive douleur et une résolution farouche :

« Mon cher ami, ne me demandez pas de lire la lettre de mon enfant. Elle ne vous apprendrait rien. C'est une affaire entre lui et moi, un drame absurde qui ne regarde plus que moi.

— Il nous faut, dit le médecin d'un air pensif, il nous faut obtenir sans trop de retard le permis d'inhumer. Le corps du garçon ne porte assurément aucune trace de violence. Vous n'oubliez pas, Périot, que je suis médecin de l'infirmerie spéciale et que je connais beaucoup de gens dans cette étrange maison, dans ces étranges maisons, devrais-je dire : au Parquet, naturellement, et à l'Institut médico-légal aussi.

— Alors ?

— Pouvez-vous, sans me communiquer la lettre, écrire une déclaration établissant que l'enfant avait manifesté sa résolution de se donner la mort ?

— Attendez, fit Patrice Périot et son front se creusa de rides profondes. Attendez ! Je ne veux rien vous demander, mon pauvre ami, qui ressemble à une irrégularité : je souhaite ardemment que l'on ne fasse aucune enquête. Je n'ai pas peur, soyez sûr, pour la mémoire de mon malheureux enfant, mais je demande seulement le silence, le repos des esprits et même l'oubli, oui, l'oubli. Je vous donne ma parole, Chabot, que c'est un suicide absurde, banal, terriblement triste et banal. Je vous serais reconnaissant d'user de votre influence pour que les services auxquels vous aurez affaire se montrent discrets, vous me comprenez, pour que tout se passe dans le calme et la décence. Nous sommes déjà bien assez malheureux comme cela.

— Écrivez la lettre, répondit le médecin. Vous êtes un homme très connu. Votre témoignage suffira. Je vais vous aider à gagner votre bureau. La soirée s'avance. La journée de demain est un dimanche et tous les bureaux sont fermés. Mais, dès lundi, je ferai le nécessaire. En attendant, vous allez vous efforcer de dormir un peu. Vous avez du gardénal... Oui! Prenez du gardénal. Je reviendrai vous voir demain. »

Patrice Périot écrivit la lettre demandée, non sans reprises et non sans ratures. Il recopia le tout et mit le papier sous une enveloppe que le docteur glissa dans son portefeuille.

« Excusez-moi, dit Périot qui, se levant soudain pour gagner le divan, parut voûté, flétri, vieilli de vingt ans, excusez-moi, mon ami, je ne manque pas de confiance, vous le savez. Mais il faut que je m'habitue à mon malheur, que je le regarde en face et que je parvienne à le comprendre. Que le monde extérieur respecte ma tristesse! Je ne demande rien de plus.

— Ne restez pas sur ce divan. Couchez-vous et que le sommeil vous ait en pitié. »

Le docteur Chabot traversa la bibliothèque et gagna la salle à manger où se trouvaient réunis les enfants, avec Mme Hortense et Clément Romanil.

« Il va sans doute sommeiller, dit-il. Madame, ayez la bonté de lui porter une tisane. J'irai, demain, voir un de mes amis, s'il est à Paris et s'il peut me recevoir. Je pense obtenir, dès lundi, le permis d'inhumer. Pour l'instant, le corps est en chambre froide. Mais après, il faudra faire au plus vite.

— N'ayez crainte, docteur, dit Maurice Ribeyrol. Je ne perdrai pas une minute! J'attendrai vos instructions. »

Christine jeta sur son beau-frère un regard de glace. Thierry se couvrit le visage de ses mains, puis, sans rien dire, s'en fut retrouver son père.

« Sortons ensemble, Romanil, si vous le voulez bien, dit encore le docteur. Ma voiture est en bas et je vais vous reconduire. Il est tard. »

Les deux hommes s'en allèrent sur ces mots.

Mme Hortense regarda les trois jeunes gens et dit, l'accent morne :

« Il est presque onze heures. Et vous n'avez rien mangé, tous les trois. Je vais vous donner quelque chose, vous êtes jeunes, vous autres. J'ai de la viande froide et du saucisson. »

Ils déclarèrent tous trois qu'ils n'avaient pas faim. Mme Hortense haussa les épaules, disparut et revint avec des assiettes. Ils s'assirent tous les trois et commencèrent à manger la viande froide et le saucisson. De temps en temps, Edwige était secouée par des sanglots convulsifs. Après quoi, elle se reprenait à manger en affirmant qu'elle n'avait pas faim. Maurice Ribeyrol dressait, non sans menus propos, une liste de gens qu'il conviendrait d'aviser par faire-part. Christine les regardait tous deux avec un mépris manifeste. Elle mangea quand même une tranche de viande froide.

Patrice Périot but de la tisane et se mit au lit. Il y avait, dans la chambre, une chaise longue sur laquelle Thierry s'étendit après l'avoir poussée contre le lit paternel. Toutes les lumières furent éteintes et le silence régna pendant longtemps.

Comme il entendait remuer le garçon, dans l'ombre, comme il l'entendait remuer, respirer, gémir, Patrice Périot dit, à voix basse, tout soudain :

« Ton malheureux frère n'a pas fait de choses blâmables... Tu m'entends, Thierry ? »

L'enfant répondit dans un souffle :

« J'entends, papa. »

Patrice Périot se prit à rêvasser et les vagues de la tristesse tantôt berçaient et tantôt exaltaient sa douleur. « Se tuer ainsi alors qu'on a frère et sœurs, c'est terrible ! Quel exemple ! Et pour les autres, à l'heure du désespoir, quelle tentation ! Mais toute la faute est à moi. Je suis un père faible et tendre ; je ne suis pas un bon père. Je n'ai pas su leur donner une discipline. Nous autres, les gens de mon temps, nous avions renié toute métaphysique, mais nous étions encore soutenus par la vieille armature morale. Eux, mes pauvres petits, ils sont partis au hasard. Et puis, leur mère les a quittés à l'heure des grandes décisions. Et moi, je suis un vieil homme chargé de soins. Est-il sage, pour un homme chargé de soins, pour un homme qui se croit porteur d'une mission, est-il sage d'engendrer des enfants, surtout dans ces temps maudits? Trop tard! Je n'ai pas à revenir sur ce qui est fait et défait. J'ai cru de mon devoir de consacrer une part de mon temps à ce que je nommais la justice, la charité, le bonheur des hommes. Et je me suis, sans doute, bien mal occupé du bonheur de mes enfants. Qu'aurait fait le pauvre Hervé s'il avait dû se plier à une règle? Est-ce que cette règle l'aurait sauvé? Ce monde égaré dans lequel nous vivons peut-il encore admettre une règle? Il n'y a plus ni repos, ni refuge. Il n'y a plus ni lumière, ni voix qui tombe des espaces infinis. Nous vivons dans un monde mort. »

Ainsi Patrice Périot s'abandonnait à la tristesse et le sommeil ne venait pas. Un peu plus tard, il pensa : « C'est tout à fait absurde. Il va falloir que je me lève. La misérable carcasse est là, qui fait sentir ses exigences. Et je vais peut-être réveiller mon petit saint. Lui! lui! J'étais parfois plein d'inquiétude pour lui à l'idée qu'il pourrait quitter le siècle, entrer au couvent, dans une heure d'exaltation. Oh! qu'il le fasse, qu'il se retire en solitude, mais qu'il ne souffre pas et même, et même... qu'il prie pour moi, qu'il prie pour nous tous, qu'il prie pour cette humanité qui a perdu le sens de ses destinées! Je n'ai jamais, moi, rationaliste, mis en doute l'efficacité de la prière. Un jour, les savants, mes confrères, découvriront qu'une certaine tension de notre esprit peut se manifester à distance et modifier la marche des événements, la vie du monde humain,

peut-être la structure du monde matériel. Il ne faut
rien rejeter : nous avons vu les hommes renier presque
tous leurs reniements... Mais il faut que je me lève.
Impossible d'attendre. Quelle dérision! »

Patrice Périot se leva donc. Il entendit Thierry qui
disait, dans un souffle :

« Tu n'es pas malade, papa? Tu ne souffres pas?

— Je souffre, mais je ne suis pas malade. Attends!
je vais revenir. »

Il se dirigeait dans la nuit, avec lenteur. Le peu de
lumière qui venait du ciel ou de la rue et qui filtrait par
la fente des rideaux suffisait à ses évolutions. Il ne voulait ni tirer tout à fait Thierry de la torpeur en allumant la lampe et ni se voir dans le miroir de la muraille.

Il revint donc jusqu'à son lit et s'étendit tout au bord.
Il entendait ainsi le souffle du garçon passer non loin
de ses oreilles qu'attristaient des bouquets de poil gris
et rude.

Comprenant que l'enfant ne dormait pas, il retint sa
respiration et perçut un bruit infime, celui de deux
lèvres qui s'effleurent et se séparent.

« Que fais-tu, mon garçon?

— Tu le sais bien, papa.

— Oui, mon petit. Merci, mon Thierry. »

De longues minutes passèrent. Puis, Patrice Périot,
la tête au ras du vide, sentit que le très faible murmure
s'était arrêté. Il songea : « Le voilà qui dort. » A ce
moment, le jeune homme toussa légèrement, comme
pour marquer, mais à peine, que l'âme veillait. A voix
basse, presque imperceptible, Patrice Périot commença
de dire des choses qui l'étonnaient lui-même :

« Vois-tu, mon enfant, je ne parle pas le même langage que toi; mais nous ne sommes peut-être pas
séparés, dans l'éternité, pas beaucoup plus séparés que
dans l'ombre de cette nuit souffrante.

— Non, non, papa, répondit Thierry dont la voix

demeurait un souffle, nous ne sommes pas séparés. Nous ne serons jamais séparés dans l'éternité.

— Moi, malheureux que je suis, continua Patrice Périot, j'appelle Dieu mon besoin de repos, de certitude et de pardon.

— Oui, papa! Oui! Et c'est ainsi. »

Il y eut encore un long silence. Thierry répondait, clairement, chaque fois; mais lui si brûlant, si bien soulevé de passion, semblait se garder d'intervenir. Il laissait errer seule, dans l'ombre, cette vieille âme déchirée.

« Je suis un incroyant, sans doute, et depuis si longtemps que je ne me rappelle guère les élans de mon enfance. Mais j'aime le Christ, tu le sais, Thierry. On appelle Jésus « le fils de l'homme » parce qu'il est la plus belle création de l'humanité. L'humanité d'aujourd'hui serait-elle encore en mesure de faire un Christ, de penser un Dieu tel? Oh! je me le demande et je ne le crois pas. »

Dans la nuit, le jeune homme semblait soudain s'être arrêté de respirer. Il ne répondit rien. Il était peut-être désireux de ne pas troubler cette promenade titubante à travers les ténèbres. Il saisit la main de son père et la serra doucement. Un très long moment passa. Thierry comprit soudain que la vieille main paternelle s'était détendue, qu'elle ne répondait plus à l'étreinte. Il entendit alors le souffle de son père qui était devenu un peu rauque, mais régulier, régulier, comme le bruit de courtes vagues sur une grève. Il pensa que le gardénal avait sans doute produit son effet. Il pria quelque temps encore, sans paroles, et finit lui-même par succomber à la contagion du sommeil.

Il était peut-être neuf heures du matin quand Patrice Périot s'éveilla. Tout de suite, il sentit, dans sa bouche, le goût de la tristesse. Tout de suite il comprit que le désespoir était là, comme une bête de proie sûre de son empire. Thierry dormait, sur le canapé, d'un sommeil naïf, enfantin, souverain.

Pendant que Patrice Périot s'efforçait, dans la salle de bains, de promener sur ses joues un rasoir inefficace, il entendit un léger bruit au fond du couloir. Ce n'était pas le placide va-et-vient de Mme Hortense à l'ordinaire. C'était un bruit de conversations. Patrice crut entendre des voix dont l'une était pressante, insistante. Il eut le sentiment que l'entr'acte nocturne était bien fini, que le drame reprenait son cours, qu'on venait sans doute lui demander un avis, peut-être une signature, enfin une de ces formalités qui sont comme l'accompagnement des drames de la vie quotidienne. Il essuya son visage, revêtit sa robe de chambre, puis, à pas feutrés, traversa la bibliothèque et s'arrêta derrière la porte de la salle à manger. Il perçut tout de suite et reconnut la voix de Mme Hortense, une voix non point hargneuse, mais en même temps molle et rétive. Elle disait :

« Non, monsieur! Le professeur souffre beaucoup.

— Je m'en doute, madame, et c'est justement pour cela que nous sommes venus, mon collaborateur et moi-même.

— Le professeur est très affligé. Et il ne veut recevoir personne. »

La voix reprit, obstinée :

« Je m'en doute, madame. Et pourtant, il me recevra quand même. Seulement pour deux minutes. La souffrance d'un grand homme est un spectacle tout à fait remarquable et qu'il importe de fixer. Deux minutes seulement, et vous n'avez pas besoin de le prévenir. Nous entrons et clic, c'est fini. Je veux photographier l'illustre savant en train de pleurer. Je veux photographier, je veux être le premier à photographier la douleur du professeur Patrice Périot. »

Le cœur agité, les mains tremblantes de rage, Patrice

Périot écoutait, à travers la porte, cet entretien surprenant. Alors comprenant que Mme Hortense pouvait
se laisser fléchir et qu'il ne serait peut-être pas, lui,
Patrice, maître de ses nerfs une minute plus tard, il
tourna le bouton, se lança dans la pénombre du couloir,
ouvrit la porte palière et montra l'escalier d'un geste
furieux du bras.

A ce moment, un éclair de magnésium illumina
l'espace, faisant apparaître deux personnes toutes deux
pourvues d'un appareil photographique. Ces deux messieurs passèrent la porte aussitôt, d'un pied léger, en
disant avec affectation :

« Merci, mon cher maître! »

Au moment même où les visiteurs franchissaient le
seuil, un second éclair de magnésium éblouit Patrice
Périot.

Il poussa le vantail, fit entendre un rugissement et
s'enfonça dans les profondeurs du couloir. Le torrent
du siècle absurde, miraculeusement arrêté pendant les
heures de la nuit, recommençait de courir et de gronder,
d'entraîner dans sa colère toute la raison des hommes.

CHAPITRE XI

GRÂCE aux pressantes interventions du docteur Chabot, grâce au respect dont se trouvait entourée la personne de Patrice Périot dans les cercles administratifs, le permis d'inhumer fut délivré dès le mardi. Maurice Ribeyrol avait, de son côté, fait diverses démarches et le corps de l'enfant Hervé fut placé dans un cercueil plombé, dans les locaux mêmes de l'Institut médico-légal. Patrice Périot, après de longues hésitations, refusa de voir cette dépouille. « Je peux vivre, encore, disait-il, avec la dernière image qu'Hervé m'a laissée de lui. Cette image était triste et douloureuse; elle n'était pas laide, elle n'était pas déformée, souillée. Non! non! Il faut que je puisse m'accorder, maintenant, avec l'ombre de mon fils. »

Maurice Ribeyrol, toujours diligent dans les conjonctures de cette sorte, avait déclaré qu'il s'occuperait de tout ce qui concernait l'enterrement. Il fallut renoncer dès les premiers pourparlers au caveau du cimetière Montmartre. Il n'y restait plus qu'une place vacante et la famille Demoncelle, la famille de Clotilde Périot, s'était assuré des droits sur cette place. Elle en revendiquait âprement la possession. A la prière de Patrice Périot, qui souhaitait de fuir, en ces jours d'épreuve, le tumulte forain de Paris, une concession fut sans peine obtenue au petit cimetière de Jouy-le-Comte. Nul avis n'avait été donné à la presse, selon le vœu de Patrice Périot qui se réservait d'aviser, plus tard, sa parentèle et quelques proches amis. Les journalistes, avertis toutefois par des indiscrétions dont on ne pouvait deviner l'origine, commencèrent, dès le dimanche soir, de se présenter rue Lamarck. Ils vinrent, le lundi, en si grand nombre qu'il fallut établir un barrage dès le pied de l'escalier. La concierge reçut les premiers d'entre eux. L'humeur de cette dame, farouche au début, s'amenda bientôt, en sorte que les reporters obtinrent d'elle, qui ne savait rien et qui ne pouvait rien savoir, des confidences captivantes. Dès le mardi, les quotidiens de Paris publièrent de petits articles pourvus de titres variés, mais qui tous laissaient entendre que le jeune Hervé Périot avait trouvé la mort dans des conditions pour le moins inexplicables. Certaines feuilles montrèrent un portrait d'Hervé Périot que nul membre de la famille ne put ou n'osa reconnaître. C'était, pour tout dire, le portrait d'un jeune homme qui ressemblait à des multitudes d'autres jeunes hommes. Les notes données dans la presse à cette occasion spécifiaient les unes que le défunt était un jeune savant d'avenir, déjà père de trois enfants, d'autres qu'il s'était fait connaître comme catholique ardent et qu'il venait de signer les appels pour la paix. Il y a toujours, dans les erreurs de l'information, un germe de vraisemblance, un principe dont on peut, si l'on montre assez de sagacité, poursuivre et reconnaître les racines parmi la confusion des notions et des événements réels. Un journal d'extrême gauche, qui paraissait le soir, laissa même entendre que « le fils du grand savant révolutionnaire Patrice Périot, se trouvait, comme l'une de ses sœurs, vivement sollicité par le matérialisme dialectique ».

Patrice Périot ne lisait guère, en temps normal, que les journaux, assez nombreux d'ailleurs, dont on lui faisait le service. Dans les dernières semaines, il avait même cessé de lire quelque feuille que ce fût. Mais il se trouvait toujours, auprès de lui, quelqu'un pour ouvrir les gazettes, donner une claque sur le papier et pousser un « oh » d'étonnement. Après quoi, force était donc à Patrice de déserter ses sombres méditations et de constater, une fois de plus, par lui-même, que l'humble vérité venait de recevoir quelque nouvelle blessure.

On était parvenu dans l'extrême fin du mois de mai. Le temps était, depuis quelques jours, chaud et même orageux. L'enterrement se trouvait fixé au jeudi. Enfermé dans un cercueil plombé, le corps du garçon devait être pris à l'Institut médico-légal, chargé dans un fourgon où pourraient s'asseoir trois ou quatre membres de la famille, et, de là, transporté directement à Jouy-le-Comte. Ceux des parents qui ne voyageaient pas avec le fourgon suivraient dans des voitures particulières, dont celle de Ribeyrol et celle de Christine. Ribeyrol qui laissait à Paris ses trois jeunes enfants, proposa de prendre Romanil à son bord. Patrice Périot n'avait prévenu ni ses confrères de l'Institut, ni ses collègues de la Sorbonne. Il souhaitait ardemment la solitude et le silence. Bien qu'il s'estimât franc de préjugés, la pensée d'aller ainsi querir à la Morgue le cadavre de son enfant l'abreuvait de honte et d'une profonde amertume.

Le jour fixé, Patrice Périot et ses enfants gagnèrent, de bon matin, la bruyante place Mazas. Le ciel était pesant, le vent du Sud poussait des nuées agressives. Périot levait parfois les yeux et, cherchant quelque consolation à ce surcroît de disgrâce, il pensait que le temps se trouvait accordé du moins à son affliction, qu'une radieuse matinée de printemps aurait pu lui paraître intolérable... Il était là, tête nue, devant la voiture, ses proches autour de lui. Il n'avait pas pleuré depuis longtemps, il ne savait peut-être même plus pleurer, peut-être irait-il maintenant jusqu'au terme

de sa course, jusqu'au terme de sa vie sans retrouver la
douceur des larmes. Edwige et Thierry ne cherchaient
pas à contenir leurs sanglots. Il les envia. Christine,
elle, toujours secrète et attentive comme un chat, ne
pleurait pas. Elle regardait son beau-frère, Maurice
Ribeyrol, qui se trouvait affublé d'une jaquette noire
et d'un pantalon rayé; puis, soudain, la lèvre finement
retroussée sur la canine, elle murmura : « Il aurait fait
un excellent employé des pompes funèbres. » Cette
hargne, en un tel moment, consterna Patrice. Il eut la
pensée de gronder, tout haut, Christine l'intraitable.
Il était quand même trop las. Il avait vingt fois, et
de quel cœur, harangué les multitudes pour leur enseigner la paix, cette paix qu'il n'avait pas même pu
faire aimer dans sa maison. Le siècle était sans horizon
et toutes les avenues aveuglées, sauf celles de la chamaille, du ressentiment, de la haine, sauf celle de
l'immense mépris.

Le cortège se mit en route. La chaleur était épuisante,
même dans une voiture en marche. Comme on parvenait aux portes de Paris et que le fourgon se trouvait
arrêté dans un nœud de voitures, Patrice Périot entendit d'étranges et forts craquements qui semblaient
parvenir du fourgon. Il en ressentit un malaise indes-
criptible et dont il n'osa parler. Il avait d'abord pris le
bras de l'enfant Thierry, puis sentant qu'ils allaient tous
deux transpirer et que cette pression affectueuse se
traduirait en malaise, il retira son bras et s'abandonna
à d'absurdes réflexions : « Il aurait dû, comme le lui
avait demandé le malheureux Hervé, il aurait dû vendre
la maison de Jouy-le-Comte, céder sans querelle, au
risque de confirmer le garçon dans son désordre et son
égarement. Ce que le désespéré lui reprochait, au seuil
même de la mort, était-ce bien de n'avoir pas cédé, de
n'avoir pas donné sans discussion cette somme en
même temps insignifiante et considérable qu'il allait

bien falloir trouver maintenant, tout compte fait, pour payer l'enterrement? N'était-ce pas, plutôt que ce refus, de l'avoir fait naître, de l'avoir précipité dans un monde sans lumière, indigne de toute rédemption? Car, pouvait-il se plaindre, lui, Patrice Périot, même en ces jours de deuil? Il avait été frappé, naguère, en plein drame universel : il avait perdu Clotilde. Mais c'était en un temps où l'humanité tout entière connaissait un abaissement et une infortune sans mesure. Il avait pensé, parfois, malgré les divisions de son petit clan, qu'il avait eu, lui, le privilège de garder ses quatre enfants alors que presque toutes les familles autour de lui, voyaient succomber l'un et parfois même plusieurs des leurs dans quelque épisode tragique. Ceux qui avaient survécu, de cette génération piétinée, ceux qui semblaient avoir été, sur le moment, épargnés par un destin furieux, ceux-là n'étaient-ils pas excusables s'ils perdaient le sens de l'équilibre, s'ils trébuchaient dans les ténèbres du siècle, s'ils cherchaient, certains du moins, à se raccrocher désespérément à des doctrines, à des dogmes, à des bouées de sauvetage. Les larmes qu'il ne pouvait demander à ses vieilles glandes taries, mais qu'il versait en rêve, elles ne pourraient que se perdre dans un océan de larmes... »

Le soleil, surgi des nuages, tombait d'aplomb sur le vernis noir de la voiture. Il fallut encore s'arrêter au passage à niveau de Domont. De nouveaux craquements se firent entendre dans l'intérieur du coffre. Thierry et Mme Hortense les entendirent sans doute aussi, mais nul n'osait en parler. La pensée de Patrice Périot repartait à errer, cette fois au ras du sol : « En somme, et malgré l'insolente indiscrétion des journaux, Hervé s'en irait en paix et même dans le recueillement des siens. Il quittait ce monde absurde avec une discrétion navrante, mais exemplaire. Cette lettre qui ne laissait pas de bouleverser Patrice était une lettre

d'enfant. Restait le problème du suicide. Lui, Périot,
avait pensé, dans sa jeunesse, que le suicide signifiait, pour une âme élevée, la manifestation suprême de
la liberté. Par la suite, et quand il avait vu naître et
grandir ses enfants, il avait abjuré cette opinion qui
ne s'accordait plus avec ses nouveaux devoirs. Il se
demanda soudain si le geste d'Hervé ne représentait pas
un trait d'hérédité, si ses anciennes idées sur le suicide
n'avaient pas, finalement, trouvé carrière dans l'esprit
de son propre fils et cette pensée fit bouillonner de
nouveau la source de toutes les angoisses. Il éprouvait,
devant les dérèglements du cauchemar dont il souffrait
parfois, une terreur presque superstitieuse, et l'idée de
rêver tout éveillé, de ne pas plus contrôler, même alors
qu'il avait les yeux ouverts, le travail de son esprit que
celui de son foie ou de telles autres glandes, cette idée
lui inspirait désespoir et dégoût. Il se rappela que jadis,
dans les débuts de leur mariage, Clotilde l'avait entraîné
au théâtre. On jouait une pièce tirée de Dostoïewsky.
L'un des personnages disait soudain : « L'homme pense,
et, quand il pense, que ne pense-t-il pas? » Cette phrase
lui revenait souvent à l'esprit et lui donnait toujours
un étrange malaise. Chose remarquable, elle rejoignait,
par des voies détournées, certaines recherches de physiologie pure auxquelles il avait consacré le temps de sa
maturité et qui se résumaient en des propositions
telles : « Nous ne commandons ni à notre cœur, ni à nos
reins, ni à nos glandes. Nous assistons au travail de ces
organes et nous ne pouvons agir sur ce travail que d'une
manière indirecte et d'ailleurs impuissante, ou, parfois,
par la destruction de l'ensemble, par le suicide. Est-il
possible d'attribuer à la nature, trousseau impersonnel
de forces, une volonté, une doctrine, des vues et des des-
seins, tel celui de ne point permettre à l'animal, même
à l'animal supérieur, de modifier le jeu de plusieurs
appareils qui contribuent à former son organisme, et

dont il n'est pourtant que le dépositaire ou mieux
encore le témoin mal renseigné? Quel intérêt peut avoir
la nature, ce personnage abstrait, à forcer les orga-
nismes vivants de persévérer dans l'être? »

La pensée que la raison, l'esprit de recherche et
d'invention, n'étaient peut-être, même au plus clair
de la veille, pas plus libres que la glande surrénale, cette
pensée ne cessait de le poindre, à l'instant de la plus
impérieuse douleur.

Il fit effort pour se ressaisir de cette douleur, pour
souffrir avec méthode... « En somme, ce qu'il désirait
s'allait donc réaliser. Il y avait une entente sensible de
toute la proche famille pour ne point parler des problèmes écartés dès le début, pour laisser dans l'ombre
toute cette part de la tragédie qui pourrait, mise en
pleine lumière, ouvrir la porte à d'autres désordres.
Encore quelques jours, sans doute, et l'oubli ferait son
œuvre, l'oubli qui submerge tout, et si vite, dans le
triomphe du désarroi général. »

Le petit cortège traversait maintenant une forêt.
Les frondaisons montraient des nuances variées. Le
dur été n'avait pas encore imposé son uniforme à
tous ces êtres soumis. L'effusion des verdures exerçait
une action sédative. La chaleur était, là, moins orageuse et moins suffocante. Patrice Périot sentit que
ses pensées prenaient un tour plus serein, plus objectif
aussi, plus conforme à de très anciennes disciplines. Il
murmura, dans le plus secret de son être : « Voilà! Et
maintenant, je ne peux même plus me suicider, moi,
le père. Si je me tuais, on parlerait d'hérédité récessive
ou de quelque chose de cette sorte. N'a-t-on pas parlé
de cela pour le noble Martel? Ils sont terribles, mes
confrères, mes collègues avec leurs explications! Et
moi-même? Qu'ai-je fait, toute ma vie, sinon chercher
des explications, sinon tirer l'inconnu de ses plis, sinon
donner un sens à ce monde insensé? »

Le cortège franchit l'Oise et, quelques minutes plus tard, les voitures vinrent s'arrêter sur la place de l'église, au village de Jouy-le-Comte. En apercevant l'église, Patrice Périot ressentit une vive émotion. Il n'avait pensé vraiment à rien depuis quelques jours, sinon à sa détresse. Il avait laissé ses enfants et ses amis prendre toutes les dispositions pour les funérailles du malheureux petit Hervé. Le corps allait-il pénétrer dans l'église? Y serait-il même admis? L'idée que l'accès de l'église pouvait lui être refusé n'allait pas sans offenser Patrice. Et l'idée que l'église s'ouvrirait choquait, en lui, de vieux souvenirs imprécis, mais tenaces.

Il ne resta pas longtemps dans l'indécision. Un conseil se tenait à voix basse entre les enfants Périot et le chauffeur du fourgon. Il apparut aussitôt que le problème essentiel était de savoir si le fourgon devait s'engager dans la côte, qui était raide, et où il n'était pas sûr qu'une voiture si longue pût évoluer et tourner. Les porteurs considéraient cette côte avec indolence. Comme ils étaient quand même trop peu nombreux, tout le monde mit pied à terre et le fourgon fit l'ascension. Au moment d'ouvrir le coffre, les porteurs annoncèrent que le cercueil plombé que l'on avait scellé au départ, s'était enflé sous l'effort des fermentations et qu'il avait fait éclater les planches du cercueil de bois. Il fallut chercher des cordes et lier le tout pour éviter quelque dommage plus grave. Tout cela était languissant et pénible. Enfin le cercueil fut amené au bord de la fosse. Ribeyrol avait obtenu, du maire, une concession encore libre, au nord-ouest, le long de la muraille. Alors au moment où la famille s'assemblait là, devant cet abîme creusé de main d'homme, devant cette faible excavation dans laquelle allait s'engloutir une destinée, alors on vit s'avancer Thierry. Il tira de sa poche un livre à couverture de toile noire. Il était nu-tête, grave,

vraiment beau en cette minute. Son visage était inspiré.
Il semblait dire : « Moi, je peux faire ce que je vais faire,
je ne suis pas un prêtre, je n'ai pas prêté serment. Je
suis seulement un homme et le frère d'un malheureux. »
Il ouvrit le livre et lut tout haut les prières des morts.
Patrice Périot, délivré soudain, pleura.

Quelques minutes plus tard, quand chacun se fut
incliné sur la fosse pour faire un geste de paix ou jeter
une fleur, il y eut une brève réunion de famille. Patrice
Périot exprima le désir de rester à Jouy toute la fin du
jour et même d'y passer la nuit dans sa maison des
champs. Cette maison était toujours préparée à recevoir
des hôtes. Mme Hortense et Thierry annoncèrent aussitôt qu'ils resteraient aussi. On les déposa donc tous
les trois au seuil de cette retraite et la famille se dénoua,
chacun retournant à ses soucis, à ses devoirs.

Patrice Périot refusa de manger, s'enferma dans sa
chambre et tomba dans une profonde rêverie que
caressait parfois le vol d'une mouche ou que suspendait
pour quelques secondes la sirène d'un remorqueur
arrêté, avec son train de péniches, devant les écluses de
l'Oise. Comme l'après-midi commençait à décliner,
Patrice s'en fut, sur la pointe des pieds, sortit par le
fond du jardin et gagna le cimetière.

Le gros du village est à l'écart du val d'Oise, le trafic
y est faible et le silence presque toujours fort grand.
Patrice ne vit donc personne, atteignit la côte et la
gravit. Il éprouvait le besoin de se retrouver dans cette
solitude, en tête-à-tête avec une ombre qu'il n'avait pas
fini d'interroger, qu'il devrait maintenant interroger
jusqu'à la fin des temps. Il poussa la grille de fer et
s'avança sans hâte, entre les tombes.

Les fossoyeurs avaient remis la terre en place et ils
étaient partis. Mais Patrice aperçut, tout aussitôt,
parmi les croix et les feuillages funéraires, une vivante
touffe de cheveux dorés et il comprit qu'il avait été

devancé, que Thierry était là, que Thierry, sans doute, à sa manière, avait engagé l'entretien avec cette âme tourmentée.

A genoux dans les cailloux du sentier, Thierry priait, la tête inclinée vers la tombe. Lui toujours bondissant et dansant, il était si parfaitement immobile que Patrice Périot s'arrêta, de loin, n'osant troubler une telle ferveur. Enfin, petit à petit, pas à pas, attiré, fasciné par cette immobilité même, il avança vers l'enfant.

Il y avait, contre le mur, cinq ou six blocs de pierre que les marbriers avaient abandonnés en désordre. Patrice, fatigué, vint s'asseoir sur l'un des blocs, il retira son chapeau et attendit, retenant son souffle. Il songeait, malgré qu'il en eût : « Comme je suis gauche et misérable! Je souffre à ma façon, c'est-à-dire au hasard, sans règle et sans issue. Lui, mon dernier fils, il ne souffre assurément pas moins que moi, le pauvre, mais il a l'air de savoir ce qu'il fait. Sa souffrance a une voix et une direction. »

A ce moment, l'enfant releva la tête, fit le signe de la croix, aperçut son père et vint tout naturellement s'asseoir à côté de lui.

« Je pensais être seul, dit Patrice Périot au bout d'un moment. Et te voilà!

— Moi, murmura le jeune homme, je pensais que tu viendrais. »

Pendant de longues minutes, ils regardèrent le paysage, qui n'est certes pas grandiose, mais noble et harmonieux. Le soleil, tout à fait dégagé des nuées, éclairait, au moment de se retirer, la belle vallée de l'Oise, à cet endroit large et gorgée de végétations. La forêt de la Tour du Lay descend jusqu'au bord du vallon, où le calme village repose avec son gracieux clocher, ses maisons, ses jardins fleuris. Ce n'était pas un lieu de désespoir, mais de méditation sereine. Comme Thierry ne parlait pas, Patrice Périot se prit à remuer

timidement des pensées qu'il ne pouvait pas taire parce
qu'elles l'étouffaient. Il sentit très bien, dès les premiers
mots, qu'il s'aventurait au bord du gouffre, qu'il allait
frôler tous les dangers, toutes les angoisses et qu'il était
terriblement dépourvu, maladroit, imprudent peut-
être.

« Je te remercie, dit-il, mon garçon, d'avoir lu la
prière des morts. Je pensais que ton beau-frère Maurice...
enfin, je ne pensais rien, car j'étais trop las, trop
déchiré... mais je pensais que Maurice avait prévu quel-
chose comme une cérémonie à l'église. »

L'enfant, par secousses, fronçait les sourcils. Il
répliqua :

« Je lui ai dit qu'il ne fallait pas. C'est moi qui lui
ai dit qu'il ne fallait pas. Tu sais bien que c'est impossible.

— Oui, il paraît que c'est impossible. Mais je pensais
à nous tous, peut-être à moi-même. L'église... Oui, je
sais ce que tu pourrais me dire. Mais l'église est un lieu
de halte et d'attente, dans les jours de malheur, même
pour ceux qui n'ont rien entendu. »

Comme toujours quand Patrice Périot, par grande
sincérité envers son fils Thierry, s'aventurait, d'ailleurs
non sans bégaiements et reprises, à parler de ces choses
interdites, comme toujours, l'enfant Thierry, le volubile
et lyrique Thierry se replia dans le silence. Il écoutait,
les yeux élargis par une émotion qui ressemblait à
l'inquiétude bien plus encore qu'à l'espérance. Patrice
Périot reprit, s'arrachant les mots du fond de l'être :

« Tu as peut-être entendu parler de ton frère et de
ceux qu'il voyait et que nous ne connaissions ni les uns,
ni les autres. Je veux te répéter que ton malheureux
frère n'a rien fait dont tu pourrais vraiment avoir honte
et souffrir... rien de vraiment blâmable. Il s'est tué
pour une sottise. Je te raconterai cela plus tard.

— Attends, papa! Attends! Hervé, m'as-tu dit deux

fois, Hervé n'avait rien fait de blâmable. Pauvre Hervé!
Il a fait la plus blâmable de toutes les fautes. Et maintenant il va falloir obtenir son pardon. »

Chose étrange, Patrice Périot, que cette phrase aurait
pu navrer, poussa un soupir de soulagement.

« Oui, oui, dit-il, je te comprends. Tu as raison,
mon enfant. Je t'appelle mon enfant, bien que tu
parles comme un homme accompli et même sage,
parce que tu es et seras toujours mon enfant. »

Comme s'il eût voulu donner à son père une réponse
confirmative, le jeune homme ajouta :

« Je n'ai pas toujours envie de vivre, mais je n'ai
jamais envie de me tuer. »

Il dirigea vers son père un regard d'eau claire et ajouta :

« Sois-en bien sûr, pour mille raisons dont une suffit,
je le désapprouve; mais je le plains et, parfois, je le
comprends.

— Tu le comprends?

— Oui, pour supporter la vie, le monde, et cette
âme terrible, au-dedans, il faut être aidé. Et celui qui
n'est pas soutenu, comment peut-il attendre? Le
pauvre Hervé n'était pas aidé. Oh! je ne parle pas de
toi, je ne parle pas pour toi, et ni même pour moi. Je
me demande seulement pourquoi la grâce lui a été
refusée, à lui? Il était plus intelligent que moi. Je sais
ce que je dis, papa. Il n'osait guère te parler. Parfois,
il tournait le dos pour te parler; mais il était beaucoup
plus intelligent que moi. Et il osait me parler à moi.
C'est peut-être cette grande intelligence qui est la
cause de tout. »

« Hélas! songeait Patrice Périot. De quoi lui a servi
cette vive intelligence? Rien ne sert à rien. Rien ne
console de rien. Rien, si ce n'est ce que semble savoir
ce petit-là. » Il continua, mais à voix haute :

« Il ne t'a jamais parlé de son projet, enfin, je veux
dire de cette affreuse pensée? »

Comme l'enfant ne répondait rien, il ajouta, tout soudain, la voix altérée :

« Il m'en a parlé, à moi, oui, à moi, deux ou trois fois.

— A toi ! papa ! Est-ce possible ?

— Oui, mais je pensais que c'était par l'effet de la colère, par hâblerie, par folle jeunesse. Je me disais que ce n'est pas facile de se tuer, qu'il faut dompter ses réflexes et montrer de la persévérance. »

Un grand silence tomba qui fut seulement troublé par le sifflet fort et mélodieux d'un merle. Patrice Périot se reprit à parler, mais comme pour lui-même.

« Il me semblait que vous saviez tous nager. Ta mère, qui vous conduisait à la plage, m'avait dit, mais je me trompe peut-être, que vous saviez tous nager. C'est absurde.

— En vérité, papa, maman a dû te dire qu'Edwige, Christine et moi nous savions nager, mais que notre frère Hervé n'y a jamais bien réussi. D'ailleurs, il paraît que cela n'empêche rien, quand la résolution est vraiment prise.

— Comment sais-tu cela ? »

Thierry fit un geste évasif.

« Oh ! dit encore Patrice Périot, j'ai cru bien faire en donnant ma vie à la connaissance et j'ai peut-être péché, peut-être négligé mon devoir de père... »

L'enfant, avec un élan soudain, éluda tout à coup l'étrange confidence qu'il allait recevoir.

« Attends, papa ! Attends encore. Tu dis la connaissance. Ce que je cherche moi-même, c'est la connaissance. Mais non point celle de la Faculté. Ce que je cherche, ce n'est pas la connaissance de la relativité, par exemple, c'est la connaissance de l'absolu. »

Il semblait inspiré soudain, peut-être par grand désir de fuir une conversation trop douloureuse. Il poursuivit, avec une rigueur surprenante :

« Je ne veux pas imaginer que je pourrais ne pas posséder la connaissance d'une vérité absolue. »

Le silence tomba de nouveau. Thierry fit une sorte de sourire et ajouta :

« Christine se trompe, mais ce qu'elle cherche, elle, eh bien, c'est exactement la même chose. Cela t'étonne peut-être; mais je peux t'affirmer que c'est la même chose. Seulement elle se trompe. »

Un peu plus tard et voyant que Périot se levait, l'enfant tendit le doigt vers la tombe :

« Il sera pardonné, je le sens, j'en suis sûr. J'ai connu un prêtre qui a fait la même faute et qui est pardonné.

— Comment le sais-tu?

— Je ne peux pas dire. J'en suis sûr. »

Et tout à coup, comme Patrice, debout de nouveau, titubait un peu sur ses jambes, l'enfant dit, avec autorité :

« Fais le signe de la croix, papa.

— Mon cher, tu me surprends, tu me déconcertes. Je ne suis pas digne, sans doute...

— Cela n'engage pas tes habitudes, papa. Cela veut seulement dire que tu es avec moi, avec nous, avec toi-même et non pas avec tous ces pauvres égarés. »

Maladroitement, Patrice Périot fit le signe de la croix. Puis il saisit, pour s'en retourner, le bras de l'enfant Thierry.

CHAPITRE XII

La nuit fut, d'abord, pacifiante. Par la fenêtre, ouverte sur la vallée ivre de verdure, entrait un trouble silence et Patrice Périot avait le sentiment d'entendre pousser l'herbe et les feuilles des arbres, d'entendre des millions d'êtres obscurs exhaler leur confuse espérance et leur misère sans bornes. L'orage, que l'on avait pu redouter, s'éloignait. De temps en temps, une bouffée de vent faisait trembler et bruire les jeunes feuilles des peupliers.

Étendu sur le dos, Patrice assistait, immobile, au travail de son propre corps. Il lui semblait, parfois et furtivement, prendre conscience de l'effort accompli par chacune des cellules qui s'accordaient tant bien que mal, depuis tant d'années déjà, pour composer l'être pensant qui s'appelait Patrice Périot, par ces millions de cellules qu'il administrait avec une si prodigieuse indifférence. Et voilà que, dans le noir de cette nuit, ce corps s'adressait à lui, l'homme savant, pour de pressantes interrogations; voilà que ce corps faisait entendre la plainte murmurante d'un peuple las, innombrable, abandonné. Des régions de ce corps aux-quelles Patrice Périot n'avait jamais pensé, qui, jusque-là, ne s'étaient jamais rappelées à lui, qui, pendant si longtemps, avaient servi, avaient travaillé dans l'ombre et dans l'humilité, se prenaient à lui faire mal.

Il pensa, en se retournant pour voir, face à face, le ciel

nocturne où paraissait et s'effaçait tour à tour une
étoile, il pensa : « Je ne dors pas. Mais je ne suis pas sûr
quand même de veiller. Ce serait agréable de mourir,
au moins pour éviter le réveil, pour se dérober au
matin. Agréable! Quel mot! Eh bien, oui, cela signifie
que je donne mon agrément à ma mort. »

Une telle pensée suffit à réveiller le problème domi-
nant de cette semaine dramatique. Sentant qu'il allait
de nouveau chanceler au bord des abîmes, Patrice
Périot pensa que ceux qui savent prier doivent affronter plus sereinement sans doute ces heures de désespé-
rance. Il se surprit à murmurer, en remuant les lèvres :
« Thierry, mon enfant! Thierry, mon dernier fils! » Puis
il eut une minute d'abandon : « La foi religieuse, pensa-
t-il, ne servirait-elle qu'à supporter de tels tourments... »
Aussitôt, ressaisi de lui-même, il sentit qu'il serrait les
poings : « Allons, bon! Je deviens pragmatiste! Je
songe, lâchement, à négocier mon repos. Eh bien, non!
je ne céderai jamais à de si lâches calculs. Je ne serai
jamais pragmatiste. Je suis un agnostique. C'est ainsi.
Je suis un agnostique désespéré. C'est ainsi. Je ne refuse
pas la lumière, si toutefois la lumière m'est donnée en
pleine possession de moi-même, dans la pleine vigueur
de mon âme. Si je cède pour avoir la paix, seulement
ainsi, ou même si je plie parce que la maladie m'aura
usé, limé, aminci, morfondu, alors honte sur moi! Et
quel triste présent apporterais-je à l'Être, à l'Inconnu,
à Celui qu'il ne faut honorer que dans la totale maîtrise
de soi-même. S'il existe un esprit que l'on puisse
appeler Dieu, je ne lui ferai pas l'injure de le traiter
comme un ramasseur d'épaves. »

Il s'endormit quand même, au petit matin, en murmurant : « Tout cela n'est pas très raisonnable. Le seul
problème est peut-être de franchir le seuil sans connaître
la souffrance qu'a dû connaître mon enfant, je veux
dire mon petit Hervé... »

L'ange de l'aube semblait prendre en pitié cette méditation tâtonnante. Et Périot s'endormit donc.

Le lendemain, Patrice Périot et Thierry décidèrent de rester encore à Jouy-le-Comte pour goûter ensemble ce repos, cette solitude et peut-être aussi les bienfaits d'un colloque hésitant, interrompu, mais qui les soulageait tout en les tenant en alerte. Patrice Périot, parfois, au sortir d'un de ces étranges duos, se disait en remuant les oreilles : « Je sais mieux que personne, sans doute, ce qu'on peut espérer des cellules interstitielles du tissu hépatique. Mais ce garçon naïf sait des choses aussi. Au fond, la vie, le mystère de la vie, c'est peut-être un mystère très simple. Et nous autres, nous établissons des formules quasiment algébriques, nous dressons des tableaux, nous accumulons des montagnes de chiffres. »

Le lundi matin, Patrice Périot regagna Paris avec Thierry et avec Mme Hortense que tous ces événements et migrations jetaient dans une mélancolie rébarbative, qui jouait sans le vouloir les sibylles déçues et qui répétait vingt fois le jour, à propos de tout : « Je l'avais bien dit ! »

Périot ne revenait pas à Paris sans une indicible répugnance. L'idée de se replonger dans le tumulte, de voir des visages, ceux de ses amis aussi bien que ceux de ses adversaires, de retrouver même ses filles, tout cela n'allait pas sans menacer un très fragile équilibre que la présence de l'enfant Thierry entretenait, seule, et comme par miracle. Et puis, il allait falloir mettre le menton dans la paperasse, brouet immonde, sentir la sonnerie du téléphone passer comme une scie cruelle sur toutes les arêtes de l'être, affronter peut-être des visiteurs impudents, s'entendre au tournant d'une rue poser des questions absurdes... Ainsi cheminaient les pensées de Patrice pendant le bref voyae de retour.

La maison était aérée : Christine l'avait quittée dès le matin, sans doute, mais les rideaux étaient tirés, et quelques fenêtres ouvertes à la tiédeur du printemps parisien. Thierry pénétra dans sa chambre et Patrice Périot s'en fut tout droit jusqu'à son cabinet de travail. Il ne se trouva que modérément surpris, en ouvrant la porte, d'apercevoir Maurice Ribeyrol, assis à sa propre place à lui, Périot, dans le fauteuil manchot, et visiblement absorbé par la lecture des gazettes. Les Ribeyrol avaient une clef de l'appartement et s'y jugeaient toujours chez eux.

« Je vous demande pardon, père, fit le jeune homme, l'œil inquiet, le nez plissé. Je vous demande pardon... Une minute, s'il vous plaît.

— Vous n'avez pas à vous excuser, mon cher », souffla Patrice Périot en déposant sur le divan une serviette pleine de manuscrits et de livres.

Maurice Ribeyrol se retourna donc avec une avidité bien surprenante vers le journal qu'il avait étalé sur la table. Il soufflait fort et Patrice Périot finit par s'en apercevoir.

« Vous êtes souffrant, Maurice? demanda-t-il enfin.

— Non, dit l'autre, je ne suis pas souffrant, mais furieux et, comment dire? scandalisé. »

Patrice Périot sentit très bien qu'il lui fallait regrouper ses forces, que quelque chose d'insolite et peut-être d'absurde l'attendait là, dans son réduit parisien, qu'il ne s'y était pas trompé quand il avait décidé de rentrer, qu'il allait devoir faire front. Il murmura :

« Est-ce une affaire qui me concerne?

— Qui vous concerne, père, sans aucun doute. Et qui nous concerne aussi. Vous savez que je viens lire, ici, chez vous, parfois, ces journaux que vous recevez et que je ne veux acheter pour rien au monde, à qui je ne veux, pour rien au monde, fournir une contribution même de quelques francs. Et voilà ce que j'étais en train de lire quand vous avez passé la porte. »

Maurice Ribeyrol étala le journal et se leva pour

permettre à son beau-père de s'installer en bonne place.
Tout de suite, Patrice Périot aperçut un portrait, son
portrait. C'était une photographie prise au laboratoire,
quelques années plus tôt, et qui le représentait regardant, à contre-jour, un ballon plein de liquide trouble.
Ce portrait comportait une légende : « *Le grand savant,
dont on connaît les opinions généreuses, ne désespère
jamais de connaître la vérité.* » Tout de suite, l'œil de
Patrice remonta jusqu'en tête de page. Le titre de
l'article était, comme il est maintenant de règle dans
la presse du monde entier, composé en caractères
énormes. Et Patrice lut ceci : « *Une mort mystérieuse et
sur laquelle il importe de faire la pleine lumière.* »

« Lisez, père, lisez, dit Maurice Ribeyrol visiblement fort animé. Lisez avec la plus grande attention! »

Patrice Périot commença donc de lire.

« *Un savant que le monde entier respecte, et dont l'œuvre
honore en même temps notre pays et l'humanité, vient
d'être frappé dans ses affections les plus chères et les plus
respectables. L'un de ses enfants, exactement l'un de ses
deux fils a trouvé la mort, à la fin de la semaine dernière,
dans des conditions qui demeurent absolument inexplicables
et que nous jugeons dramatiques. Le jeune Hervé Périot
avait plus de vingt ans. Il habitait avec son père, son frère,
sa sœur, notre camarade Véra, dans un paisible quartier du
XVIII* arrondissement. Il semblait se consacrer à l'étude
des lettres et ne s'occupait pas de politique, ce que nous
pouvons regretter, mais ce qui contribue à purifier le problème, à montrer l'événement sous son véritable jour.*

« *Au milieu de la semaine dernière, probablement le mercredi, si nous en croyons des personnes bien renseignées,
le jeune Hervé a quitté la maison paternelle. Il lui arrivait
parfois, paraît-il, de s'absenter un jour ou deux sans
prévenir les personnes de son entourage et nulle d'entre
ces personnes ne s'en alarmait. L'absence s'étant prolongée jusqu'à la fin de la semaine, une des sœurs de l'étu-*

diant crut nécessaire d'alerter le savant qui se trouvait alors entièrement requis par ses travaux personnels. A ce moment même, la nouvelle affreuse allait parvenir à la maison. Le cadavre du jeune homme venait d'être repêché par des mariniers, dans la Seine, au sud-ouest de Paris, près de l'île de Billancourt et avait été transporté sans retard à l'Institut médico-légal.

« Nous nous réservons de revenir autant qu'il le faudra sur ce qu'il y a, dans ce drame, de mystérieux mais d'élucidable. L'hypothèse d'un suicide semble devoir être écartée tout de suite. Chose bien surprenante, pour qui ne connaît les coutumes et les secrets de nos grandes administrations, le permis d'inhumer a été délivré sans enquête approfondie. Pour nous, qui ne demeurons pas inactifs et qui ne songeons qu'à la vérité, tout ce que nous savons nous force à voir dans ce drame le résultat d'une machination criminelle.

« Nous respectons le professeur Périot. Il nous est sans doute arrivé d'entrer en controverse avec lui sur des problèmes idéologiques et notamment en ce qui concerne la signification finale et même finaliste de certains de ses travaux. Mais nous le tenons toujours pour l'un des nôtres, pour l'un de nos maîtres préférés, nous dirons même pour l'un de nos camarades de combat. Nous nous inclinons devant sa douleur. Nous n'acceptons pas toutefois de penser que le crime, s'il y a crime, et tout nous incline à penser qu'il y a crime, doit rester impuni, pour des raisons que réprouve notre sentiment de la justice. »

L'article n'était pas signé. Le style pourtant rappelait, par sa froide rigueur, certains entretiens que Patrice Périot avait eus, et récemment encore, avec celui qu'il lui était arrivé, dans la chaleur des réunions publiques, d'appeler « le grand écrivain des *Vagues profondes* ». C'était d'ailleurs dans *La Solidarité,* le journal de Gérin, que l'article venait de paraître, ce lundi matin même.

Deux fois, trois fois de suite, Patrice Périot relut ce

texte avec une sorte de sombre perplexité et même d'angoisse. Puis il haussa les épaules. Alors Maurice Ribeyrol, que Patrice Périot semblait avoir oublié, reparut soudain dans le champ de son regard.

Entre Patrice et son gendre, régnait, depuis le mariage d'Edwige, un sentiment qu'il eût été bien téméraire de qualifier amical. A la pensée qu'il avait donné sa fille, son enfant premier-né, à ce garçon sec et tatillon, à cet arithméticien soupçonneux, Patrice Périot éprouvait souvent du malaise et ce malaise était animé de rancœur. Les querelles intérieures du ménage venaient écumer jusque dans la maison paternelle et la passion politique les envenimait, tout au moins au regard de Christine, car Maurice Ribeyrol était monarchiste et le proclamait en toute circonstance. Il ne parlait, ordinairement, que de s'expatrier, d'aller, avec sa femme et ses enfants, vivre en Bolivie, où on avait grand besoin d'ingénieurs de sa spécialité, ou même en Afrique australe, patrie de l'or et du diamant, terre, disait-il, « de tous les avenirs ». Il était respectueux des titres universitaires et ne songeait pas à mettre en question les mérites scientifiques de son beau-père; toutefois, la position politique et humaine de Patrice Périot l'exaspérait. Il ne celait que laborieusement sa hargne.

« Comprenez bien, père, dit-il en bégayant un peu, ce qu'il évitait mal quand il était irrité, comprenez bien : nous n'avons pas voulu vous poser la moindre question, pendant ces journées d'épreuve. Nous sommes bien obligés de croire qu'Hervé est tombé à l'eau et qu'il ne savait pas nager. Nous avons même lieu de penser que ce malheureux Hervé s'est peut-être jeté à l'eau lui-même... »

Comme Patrice Périot inclinait le chef d'un air profondément soucieux, Maurice Ribeyrol se pencha vers lui pour s'excuser.

« Je suis navré, père, d'avoir à vous parler de ces

choses qui sont pénibles, sans nul doute. Mais voilà que ces horribles journaux s'emparent d'un drame que nous considérions jusqu'ici comme familial, sans retentissement possible. Alors? Où allons-nous? Et que pourrons-nous répondre aux gens que nous rencontrerons? Je prends mon cas particulier. Ma vie risque, dès aujourd'hui, de se trouver profondément troublée. Où allons-nous? »

Il continua quelques instants sur ce thème, s'embrouillant dans ses doléances et ses redites. Puis, voyant que Patrice Périot, le regard au sol, ne répondait rien, il se dirigea vers la porte.

« S'il y a quelque chose à savoir, en tout cas, il me semble que nous, de la famille, nous devrions être instruits les premiers.

— Il n'y a rien à savoir », murmura Patrice Périot d'une voix désolée.

Maurice Ribeyrol parti, le savant repoussa, d'un geste découragé, les lettres qui encombraient sa table. Il y avait là, sans doute, maints témoignages de sympathie sincère. Mais qu'allait devenir cette sympathie, si tout à coup, par l'effet d'une publicité inopinée, elle se trouvait livrée en pâture à la curiosité publique, à la passion de querelle et de scandale? Patrice Périot fit effort pour contenir les mouvements de son cœur. Il y réussit mal. Sa misère était grande.

Il décida de garder la chambre et fit pendre, au bouton de la porte, sur le palier, un écriteau disant que le professeur Périot, souffrant, ne pouvait recevoir personne. Il décrocha le cornet du téléphone, ouvrit ses cahiers et fit un effort surhumain pour relier le fil de ses pensées ordinaires. La mouche totémique tournoyait au plafond, comme jadis et comme toujours, comme au début du monde. Le petit Hervé n'était plus là pour lui jeter des boulettes de papier... La voix du petit Hervé! Elle n'était pas morte, cette voix. Il suffisait à

Patrice Périot de fermer les yeux et de se recueillir pour l'entendre, toujours un peu chancelante et si pleine de tristesse... Oh! on n'aurait pas dû se tromper à l'accent de cette voix. Patrice aurait dû tout prévoir.

Chose tout à fait inespérée, Patrice Périot travailla pendant une couple d'heures. Puis il s'assit à table et mangea quelque chose que lui servit Mme Hortense. Puis il retourna dans son cabinet, se contraignit durement et parvint encore à écrire quelques pages. Comme Charles Nicolle dont il avait été l'ami, Périot pensait que le savant, quand il a pu découvrir une vérité, maîtriser ce qu'il tient pour une vérité, doit s'efforcer de l'exprimer non point dans un langage ésotérique, intelligible aux seuls initiés, mais dans le langage de tous, comme avaient fait Pasteur et Claude Bernard, et que l'avenir de la science, le salut de la science étaient au prix d'un tel effort. Il travailla donc et il en éprouva quelque allégement. S'il s'arrêtait parfois d'écrire, c'était pour se trouver des thèmes de réconfort ou de tranquillité : le bavardage des journaux ne pouvait aboutir à rien puisqu'il était sans objet. Il tomberait de lui-même et la paix serait rendue à ceux qui devaient survivre.

Pourtant, vers le soir, n'y tenant plus, il saisit son chapeau, se glissa dans le couloir, ouvrit la porte et empoigna la rampe de l'escalier.

Il n'alla guère plus loin que le coin de la rue Caulaincourt, aux frontières de son domicile familier. Là, personne ne le connaissait. Il pouvait donc acheter les journaux du soir sans risquer d'être reconnu, sans devoir répondre à quelque parole inopportune. Il glissa les papiers dans sa poche et regagna en grand-hâte sa maison.

Tous les journaux, quelle que fût leur orientation, commentaient l'article de *La Solidarité*. Tous mentionnaient ce qu'ils appelaient, dans le style du temps, le « rebondissement » de la mystérieuse affaire Périot.

Le Flambeau rouge, organe vespéral de l'extrême gauche, publiait une étrange photographie où l'on voyait Patrice Périot en robe de chambre et le bras tendu. Cette image était accompagnée d'une légende : « L'illustre savant demande que la lumière soit faite. » Et Patrice Périot finit par reconnaître le portrait que les photographes des agences avaient fait de lui, par surprise, dans le couloir de son appartement, alors qu'il ouvrait la porte pour les chasser. Le même journal publiait un article assez bref, mais composé en caractères gras et qui commençait ainsi : « *Que notre maître et ami, le grand savant français, trouve ici l'assurance que nous ne l'abandonnons pas. Ce n'est pas l'inquiétante carence des pouvoirs publics qui nous empêchera de poursuivre notre enquête, au contraire. Nous sommes, dès maintenant, sur la bonne piste et les assassins seront finalement démasqués... »*

Patrice Périot, du regard, interrogeait les autres feuilles. Chose bien extraordinaire, les journaux de la droite et de l'extrême droite ne semblaient pas prendre le contre-pied de leurs adversaires ordinaires. Tous parlaient aussi, sans la moindre précision d'ailleurs, de mystère, de crime, d'enquêtes à poursuivre. Patrice revenait alors au *Flambeau rouge,* haussait les épaules et pensait : « Mais qu'est-ce que tout cela veut dire? Moi, moi, je ne leur demande rien... Alors, pourquoi ne me laissent-ils pas en tête à tête avec ma peine? »

Il éprouva le besoin de rechercher une petite photographie qui le représentait se promenant dans la campagne, avec Hervé, encore adolescent, pendant le temps de la guerre. Bien que l'appartement fût désert, il gagna la chambre du garçon sur la pointe des pieds, comme s'il avait eu peur du bruit qui réveille les ombres.

La chambre sentait déjà la poussière et le renfermé. Depuis la mort du jeune homme, Mme Hortense avait fermé les persiennes et tiré les doubles rideaux. Le lit était défait et les couvertures pliées en quatre sur le matelas. On apercevait, pendus au mur, des gravures et des tableaux représentatifs de cet art que l'on dit « abstrait » parce qu'il cherche, au-delà du réel, quelque vérité inhumaine qui pourrait être, toutefois, bouleversante, déterminante, illuminante.

Chose étrange, le portrait que Patrice souhaitait de revoir, était justement là, sur la cheminée, glissé dans l'encadrement du miroir. Il le saisit pour l'emporter. Il n'était pas pressé de quitter ce lieu mélancolique et il s'assit sur une chaise. Devant lui se trouvait la table, couverte d'un grand buvard gris. De l'autre côté de la table, une commode où le garçon devait ranger son linge et peut-être ses papiers. La pensée qu'il y avait sans doute, là, des papiers et que des inconnus viendraient peut-être, un jour, si ces horribles journaux s'acharnaient à leur campagne, chercher des renseignements, fouiller parmi les souvenirs, cette pensée le mit en mouvement tout à coup. Il porta sa chaise devant la commode, alluma les lampes et commença d'ouvrir les tiroirs.

Le tiroir du haut ne contenait que du linge. Mme Hortense avait dû, jusqu'au dernier jour, y mettre la main, car l'ordre était suffisant. Le second tiroir contenait des livres, des cahiers de cours, un assez modeste matériel d'étudiant sans conviction. Pour le tiroir du bas, Patrice Périot, en l'ouvrant, aperçut des lettres, des feuilles volantes, parfois groupées en cahier ou tenues par une épingle, des carnets de notes couverts d'une écriture mal lisible. Il décida d'emporter tout cela chez lui pour l'examiner attentivement. Il en fit un gros paquet. Avant de quitter la pièce, il fureta de gauche et de droite, inspecta les poches des vêtements pendus encore à la patère, ne trouva rien que des brimborions, des cartes de visite, des tickets de métro, de très menus et misérables témoignages d'une vie sans grands détours et que l'on eût dite sans histoire.

Il éteignit les lampes et transporta le paquet de papier sur le divan de son cabinet de travail. Il avait toujours cru bon de respecter la personne et la vie de ses enfants au point de ne les affliger d'aucune surveillance, de ne pas limiter leurs franchises. En emportant ces suprêmes reliques de l'enfant Hervé, ces quelques poignées de paperasses, il marchait encore à pas de loup, comme quelqu'un qui se risque à une action indiscrète.

La vanité de ses craintes lui fut bientôt sensible et d'ailleurs l'affligea : les quelques douzaines de lettres étaient vagues et sans intérêt. Elles parlaient de rendez-vous acceptés ou manqués, de réunions et, naturellement du jeu. Le langage des joueurs est assez secret et reste mystérieux pour ceux qui ne cherchent pas cette sorte de divertissement. Patrice enferma les lettres dans une boîte de carton. Quant aux autres écrits, malgré le désordre apparent, il n'était pas difficile d'y voir des ébauches de poèmes et des brouillons de nouvelles. Patrice lut, non sans peine, l'une de ces nouvelles. C'était l'histoire d'un homme qui avait fait une mauvaise action, qui avait trompé, puis volé son meilleur ami. Le coupable mesurait son propre remords à la réprobation des autres, au désaveu de ses compagnons ordinaires. Mais il finissait par comprendre que ce désaveu était très faible, que cette réprobation était insignifiante; alors non point rassuré, mais profondément ulcéré, déçu, sentant qu'il n'était et qu'il ne serait jamais qu'un coupable très médiocre, il finissait par se tuer d'une balle dans la bouche... Il fallait quelque patience pour déchiffrer ce grimoire. L'écriture était négligée, les fautes d'orthographe nombreuses, bien que le garçon eût quelques diplômes. Patrice Périot réfléchit une seconde et glissa ce manuscrit dans son secrétaire personnel.

Malgré l'amertume de la fable, qui n'était peut-être

pas une fable, ce bref récit supposait, chez celui qui l'avait composé, une vie morale et des angoisses précoces. Patrice Périot se disait : « Je ne savais pas tout cela. Je n'ai pas connu mon fils. On ne connaît pas ses enfants. »

Il s'efforça de lire les poèmes. Certains étaient datés. Tous ceux que l'on pouvait estimer les plus récents n'avaient point de sens pour un homme de l'âge de Patrice. On pouvait, à regarder ces lignes inégales, formées de mots juxtaposés, on pouvait se perdre en suppositions et parfois même succomber au dépit, aux mouvements d'humeur. Mais, au bout d'un moment, l'esprit, cheminant à tâtons dans les ténèbres, percevait, sous le choc des mots et des syllabes, un chant qui sans doute était heurté et sardonique, mais surtout douloureux, désespéré, désespérant. C'était bien le cri de colère, de mépris, presque de haine d'une génération qui avait vécu dans l'anxiété, puis dans l'humiliation, dans la disette, dans le ressentiment. Cette poésie chaotique avait un sens et, dans sa détresse même, la force d'un jugement.

Patrice Périot feuilletait ces cahiers parfois attachés d'une simple ficelle et il lui semblait remonter le cours du temps. Les poèmes les plus anciens étaient naïfs et intelligibles. Certains avaient trait à des événements que l'on aurait pu retrouver dans le mémorial du clan. Patrice avait, par exemple, emmené son fils Hervé, jadis, alors que celui-ci était à peine adolescent, dans un voyage en province. Il lut, sur le papier d'un hôtel dont il avait quelque souvenir, le petit morceau suivant :

Il fait froid dès la porte.
Ici les couloirs ressemblent aux galeries des catacombes.
Une lumière funéraire s'endort dans les couloirs.
Les chambres sentent la dent creuse,
Les armoires sentent le mort,

Les tables de nuit sentent le pot.
Les cuvettes sont pleines de poils qu'on n'a pas apportés soi-
même.
Le voyageur s'assied sur le vieux fauteuil,
Et le désir du néant lui refroidit les jambes.
Une rumeur de jazz en bouteilles monte des profondeurs.
La servante est triste et se plaint d'être seule.
Elle pleure dans l'ombre au fond du corridor...

Patrice referma le cahier avec un sentiment de grand malaise. De ce voyage fait avec le jeune garçon, juste avant la guerre, il avait conservé, lui, un souvenir amical, animé, presque joyeux. Et voilà qu'il lui était donné de connaître les sentiments secrets de son petit compagnon. « Oh! murmura-t-il, j'aurais dû le montrer de bonne heure à Chabot. Il l'aurait soigné, peut-être guéri. Tout cela est accablant. Est-il possible que j'aie si mal compris mon véritable devoir de père? »

Il glissa tous ces écrits dans un carton qu'il entoura d'une sangle. A ce moment il aperçut les journaux posés sur la table et remonta soudainement à la surface du temps. « *Nous demandons qu'une information soit ouverte contre « inconnu ». Bien évidemment, nous ne considérons pas que l'inconnu soit inconnaissable. Nous avons, nous autres, nos services de renseignements et de surveillance. Quand les valets de l'État se montrent au-dessous de leur tâche, le devoir des citoyens attentifs est de travailler au maintien d'un ordre nécessaire...* »

Patrice Périot lisait sans bien comprendre. Était-il possible qu'il y eût le moindre rapport entre cette éloquence agressive et cette poésie enfantine, désespérée, entre tout cela et sa sombre méditation à lui, père très misérable?

A ce point de sa réflexion, il entendit frapper à sa porte et avant même que d'avoir pu réfléchir à l'éventualité d'une visite, il vit entrer Clément Romanil.

Romanil se laissa tomber dans le fauteuil des visiteurs, comme il faisait toujours après l'ascension des quatre étages. De la main, il esquissa un signe amical, mais ne dit rien, tout occupé qu'il était de retrouver son souffle. Les deux amis se tenaient face à face et silencieux. Patrice Périot se prit à remuer les sourcils. Cette muette grimace voulait sans doute dire : « Je sais que tu ne me veux que du bien, mais je suis triste et soucieux... » Alors Clément Romanil murmura :

« Je viens te chercher.

— Où veux-tu m'emmener? fit Patrice avec un geste las. Tout me désole.

— Justement, répliqua Romanil. Comme je suis moi-même d'humeur plutôt chagrine, j'ai pensé que nous pourrions nous accorder et passer ensemble un moment. Je t'enlève, oui, je t'enlève à ton terrier, à tes soucis les plus pressants et je t'emmène dîner... »

Patrice, de nouveau, levait la main en signe de refus. Le vieil homme poursuivit :

« Aucune inquiétude! Nous allons dîner tous deux, en tête-à-tête, dans un petit caboulot... Je te répète, aucune inquiétude. Nous irons chez un marchand de vin que je connais, à la porte de Saint-Ouen. Là ou ailleurs. Il n'y aura personne. Il n'y aura même rien de bon à manger, mais cela n'a pas d'importance. Tu sortiras de ton repaire pendant une heure ou deux. Et je ne te dirai rien, absolument rien. »

Patrice Périot se leva, sans répondre, et fut prévenir Mme Hortense qu'il allait sortir. Au retour, il aperçut Romanil qui lisait les journaux étalés sur la table. Comme Romanil ne faisait pas la moindre réflexion, il se garda bien d'ouvrir la bouche. Il prit son chapeau et poussa Romanil dans le corridor.

Pendant que les deux amis descendaient la rue Lamarck, le silence, entre eux, dura. Ce fut Patrice qui

le rompit lui-même, au bout d'un long moment, en
soupirant :

« Tu as deviné que toute cette agitation des journaux ne signifie rien, mon pauvre ami. Mon fils Hervé
n'était qu'un malade et je ne l'ai pas compris à temps,
ce que je ne me pardonnerai jamais. Et maintenant, ils
vont se servir du fantôme de mon enfant pour je ne sais
quoi, pour je ne sais vraiment quoi. »

Clément Romanil observait la consigne du silence.
Patrice reprit, de lui-même, au bout d'un moment :

« Tu es mon seul témoin. Tu sais, toi, que je n'ai
jamais demandé que la justice et la paix...

— Oui, oui, grommela Romanil, rien que ça! Tu n'es
pas ambitieux. Tu n'es pas difficile.

— Ne te moque pas de moi, Clément.

— Je ne me moque pas de toi, je t'admire. Je t'admire
et je te plains. Tiens. Voilà un bistrot tout à fait tranquille. Entrons là-dedans. Et pas d'explication. Tu n'as
pas faim? Moi non plus. Mais nous mangerons quand
même. Ne serait-ce que pour faire travailler les glandes,
pour maintenir en mouvement et en équilibre la très
fragile machine. Bien. Voilà! Tu me disais que tu n'avais
jamais demandé que la justice et la paix. C'est un pro-
gramme. Alors, tu t'es trouvé lancé dans la vie publique,
dans la vie politique et te voilà bien étonné de voir ce
qu'il en coûte. Il y a beaucoup d'orgueil à vouloir
aider les autres, à vouloir faire le bien... Non. Hem...
Ça suffit.

— Continue, continue, je t'en prie, dit Patrice Périot
que la rhétorique chaleureuse de Romanil amusait malgré tout et qui se surprenait à sourire, non sans quelque
étonnement.

— Eh bien, puisque tu le veux... Il y a beaucoup
d'orgueil à s'imaginer que l'on peut se mêler de tout,
résoudre tous les problèmes, imposer la paix aux
furieux et aux forcenés.

— Mais, répliqua Patrice Périot, saisi dans la chamaille, si l'on ne fait rien, si l'on assiste à tout, inerte
et impassible, il n'y a peut-être pas d'orgueil, mais il y
a de la honte.

— Merci, mon vieux! J'encaisse.

— Ce n'est pas pour toi, tu le sais bien.

— Ce n'est pas pour moi, mais je le prends quand
même.

— Pour toi, Romanil, qui es un cœur pur, je ne
trouve que des éloges et que des remerciements.

— Les éloges! Je sais ce que ça vaut. J'en ai déjà
reçu. Non, je reviens à mes moutons. L'orgueil! La
plupart des gaillards qui se posent comme la conscience
du monde sont des monstres d'orgueil. Je les connais.
S'ils ne gardent pas leurs rognures d'ongles pour les
distribuer, tel Mahomet, c'est qu'ils n'y pensent pas. Ils
conservent peut-être leurs papiers hygiéniques pour les
offrir à leurs disciples, avec une signature autographe.

— Tu es horrible.

— Moi? Je suis juste, à ma façon. Moi, je peux être
juste. Je ne suis pas engagé.

— Toi, Romanil! Mais tu es tout aussi engagé que
moi.

— Par exemple!

— Oui, tu es engagé dans le parti de ceux qui refusent
de s'engager. C'est une forme de l'engagement. Et, en
somme, je me demande qui échappe à l'engagement.
Tu me diras : ceux qui sont au loin, en train de faire
l'ascension du Kilimandjaro ou de l'Acuncagua, ceux
qui sont en train d'explorer la terre d'Heilprin ou le
glacier de Humboldt, dans le Groenland du nord. Tous
ces gars-là jouissent d'un sursis et on peut, d'un moment
à l'autre, les sommer de se prononcer, par radiotélé-
gramme.

— Tu vois, souffla Romanil, tu vois que tu sais te
défendre. Le vrai saint, pour moi, c'est celui qui se fait

tout petit, qui se fait remarquer le moins possible et qui ne sait même pas qu'il est comme cela.

— Un idiot, somme toute!

— Si tu veux, mon cher. Le vrai saint, le seul saint, le seul juste, c'est une sorte d'idiot. Heureux les pauvres d'esprit! Et dire que j'étais venu pour te distraire de tes soucis, pour te raconter des blagues.

— Eh bien, Clément, tu as réussi. Tu me racontes des blagues. »

Quand les deux vieux hommes se retrouvaient ensemble, ils reprenaient, naturellement, des façons de parler qui dataient de leur jeune temps, un vocabulaire presque incommunicable et qui les mettait à l'aise, qui était, parfois, intraduisible pour les autres, inintelligible aux autres.

Ils achevèrent de dîner en échangeant maintes idées brouillonnes, parfois confuses, parfois burlesques, sur lesquelles, par moment, l'expérience d'une vie apparaissait et flottait comme un fétu dans les remous d'un torrent. Romanil était satisfait. Il voulait arracher son ami à des pensées sans issue et il y avait réussi. Il disait, en reprenant le bras de Patrice, au sortir de chez le traiteur :

« Sois ferme au poste et attends-toi à ce que tu as cherché. Le génie de nos compatriotes est agressif et corrosif. Ils ne respectent rien, ni personne, et pas plus toi que le reste. Les Français assassinent leurs grands hommes...

— Oh! leurs grands hommes...

— Ce mot te déplaît, alors, mettons leurs hommes célèbres. Les Allemands, eux, par exemple, savent édifier ce qu'on appelle une gloire nationale. Avec la moitié de Hugo, les Allemands auraient fait trois Gœthe. Ils ont des recettes... »

Comme les deux amis s'arrêtaient, au moment de se quitter, devant la maison de Patrice, et comme celui-ci sentait déjà revenir l'angoisse, il dit, tout bas :

« Si c'est ça, la gloire, eh bien, maintenant que je sais, je préférerais le bagne.

— Ça, répondit Romanil, c'est du bobard. Tu ne sais pas ce que c'est que le bagne. Mais tu as encore le temps de le savoir. Et moi aussi, d'ailleurs. »

Ils se quittèrent sur ce propos et Patrice regagna son quatrième étage. Pendant qu'il longeait le couloir, il aperçut de la lumière chez Christine. Il fut sur le point de passer, sur la pointe des pieds. Mais, déjà, Christine ouvrait la porte.

« Entre un moment, papa », dit-elle, de sa voix plate, sans accent, sans chaleur.

Patrice Périot entra et s'assit sur le bout du lit. Il restait muet; alors Christine-Véra prononça des paroles mystérieuses :

« On sait à quoi s'en tenir...

— Vraiment? murmura Patrice Périot. Vraiment? Et à quel sujet?

— Au sujet de la mort d'Hervé. Les coupables seront démasqués, très prochainement.

— Écoute, mon enfant, dit Patrice, ressaisi soudainement de toutes ses inquiétudes. Je ne t'ai parlé de rien, par une réserve bien naturelle. Tu sais ou tu dois savoir que ton malheureux frère s'est tué.

— C'est la version officieuse. Mais la vérité se fera jour.

— C'est absurde, gronda Patrice en se levant avec colère. Je sais mieux que personne ce que je dois penser de la mort de mon enfant. »

La jeune fille demeurait silencieuse, le visage immobile, le regard obstiné. Patrice Périot haussa les épaules et quitta la chambre. Il murmurait en cheminant dans l'ombre : « C'est à croire que la vérité n'existe pas, qu'on n'a jamais rien su de rien, qu'on ne saura jamais rien. »

CHAPITRE XIII

Le mardi matin, la lecture des journaux, que Patrice Périot s'efforçait, mais en vain, de déployer avec lenteur, jeta le savant dans une perplexité toute semblable au désarroi. « Enfin, pensait-il, cependant que ses yeux volaient d'une colonne à l'autre, puis de paragraphe en paragraphe, enfin, que me veut-on? J'ai perdu mon fils, et n'est-ce pas une douleur suffisante? Ne me laissera-t-on pas boire, tout seul, ce calice jusqu'à la lie? Romanil me dit et me répète, avec beaucoup de cordialité, sans doute, que je suis devenu un homme public et que par conséquent tout cela se produit par ma faute. Mais non! je ne suis pas devenu ce qu'il appelle un homme public. Je me suis contenté de dire que j'aimais le peuple de mon pays, que je serais toujours du côté des opprimés, que je demande la justice et la paix... Et voilà que ma vie est troublée, gâtée aussi profondément que si j'avais prêché la discorde et la destruction. Le monde est fou. Les gens qui fustigent ma douleur se disent mes amis. Ils prennent ma défense alors que je ne demande rien que le silence. Ils me donnent des éloges alors que je demande seulement l'oubli. »

Les journaux lus, ceux du moins que le courrier venait d'apporter, Patrice Périot prit la résolution de

se retirer dans son travail. Il ouvrit, sur sa table purgée
de papiers superflus, un gros cahier sur lequel était
écrit ce titre : *Physiologie et philosophie des réflexes.*
Il s'efforçait de concentrer son attention sur ses carnets
de notes, sur les courbes graphiques et les chiffres que
lui montraient ses procès-verbaux d'expériences; mais
sa pensée s'évadait à chaque instant. Il tirait de son
portefeuille une enveloppe et il relisait avec soin la
lettre, d'ailleurs brève, que lui avait laissée Hervé, la
dernière lettre. Alors, il haussait les épaules avec encore
moins de tristesse que d'humeur. « Tout cela est intolérable et fou, grondait-il. J'ai le sentiment d'être
jeté aux bêtes, moi, sans doute et ce pauvre petit
cadavre, cet absurde petit cadavre de mon enfant. »

La matinée s'achevait. N'y tenant plus, Patrice
Périot remit le téléphone au croc et commença de former un nombre. La communication établie, le savant
prononça ces mots, s'efforçant de parler d'une voix
distincte et posée : « Le professeur Patrice Périot voudrait parler à M. Gérin-Labrit, directeur de *La Solidarité.* » Une fluette voix de jeune fille répondit que
l'on allait prévenir M. Gérin-Labrit, qui était justement
dans son bureau. Quelques moments plus tard, la jeune
téléphoniste se fit entendre, disant que « M. Gérin-Labrit
regrettait bien sincèrement de ne pouvoir venir à
l'appareil, qu'il était en conférence... ». La chose était
tout à fait possible et Patrice Périot dit encore :
« M. Gérin-Labrit pourrait-il passer me voir aujour-
d'hui? Je suis un peu souffrant et je ne quitte pas la
chambre. » La voix s'évanouit de nouveau dans une
cantonade murmurante puis elle revint à la surface et
dit : « M. Gérin-Labrit est désolé, mais il ne quittera
pas son bureau de tout le jour. Si le professeur Périot
veut lui rendre visite, M. Gérin-Labrit attendra le professeur à cinq heures de l'après-midi. Il assure le professeur de sa bien attentive sympathie. »

— Dites-lui que j'irai, ce soir, à cinq heures », articula Patrice Périot.

« Voilà, songeait-il en remettant l'appareil en place. Naguère encore, Gérin-Labrit et ses amis venaient me voir à tout instant, quand ils avaient besoin de moi. Les rôles sont renversés. Aujourd'hui, c'est moi qui demande. Et il n'est plus question de respect et d'empressement. D'ailleurs, que demandé-je? La chose la plus difficile du monde. Je demande qu'on me laisse tranquille, qu'on me laisse souffrir à ma façon. Je demande que l'on m'épargne le scandale, un scandale sans fondement. Je demande que l'on veuille bien me laisser en dehors de cette chamaille lamentable. Car de telles attaques ne resteront pas sans réponse, hélas! »

Il donna le meilleur du jour à des riens, tout agité qu'il était par la pensée de cet entretien qu'il avait résolu d'avoir. Il aperçut Christine qui semblait sécréter du silence. Il eut quelques instants d'entretien avec Thierry qui préparait des examens et ne quittait guère le quartier des écoles. Chose étrange, Thierry n'était pas lyrique, ainsi que d'ordinaire. Il semblait replié sur des pensées dont il se garda bien de dire quoi que ce fût. Au moment de quitter son père, il le regarda longuement, attentivement, avant de l'embrasser, et ce long regard bouleversa Patrice mieux que toute autre effusion.

Vers quatre heures du soir, Patrice Périot sortit, seul, et se mit en route, à pied, gagnant la région de la Bourse, par les petites rues dans lesquelles il avait très peu de chances de faire une rencontre fâcheuse. Les petites rues elles-mêmes étaient le lieu d'une agitation grondante et fébrile. Patrice, dans le bruit, rêvassait à l'aventure. « Je suis sûr, disait-il, que les ruelles de Carthage, de Memphis, du Pirée ou de Rome étaient tout aussi grouillantes et bruyantes. Mais la civilisation technique est en train d'exaspérer toutes les passions,

toutes les ambitions, tous les désirs, toutes les sottises.
J'ai peur de ne plus aimer ce monde, alors que je ne
désespère pas encore de l'expliquer, au moins dans son
comportement temporel, sinon dans son essence. J'ai
grand-peur de ne plus être accordé à cette société
furieuse. Et pourtant, quand je peux retrouver le calme,
j'aime encore à travailler, je ne me sens pas indigne de
ma noble tâche. Alors que me veulent tous ces insensés
qui m'envoient des émissaires jusqu'au plus intime de
mon foyer, jusque dans mes suprêmes retraites? »

Les bureaux où régnait Gérin-Labrit étaient installés
au cinquième étage d'un grand immeuble moderne, aux
confins du quartier des Halles. On montait là par un
ascenseur violent, sans cesse en action dans un prodigieux courant d'air. Jamais Patrice Périot n'était venu
jusqu'à cet étrange sanctuaire du journalisme moderne.
Dès la porte, il se sentit un peu perdu. Il avait surtout
à lutter contre un sentiment de vergogne et de malaise.
Un jeune garçon, qui jouait les appariteurs en fumant
des cigarettes, l'introduisit dans un bureau où quatre
dactylographes besognaient au milieu d'un tumulte de
fusillade.

« Attendez là, dit-il. Je vais prévenir le directeur. »
Patrice Périot attendit pendant dix longues minutes.
Il avait l'air d'un pauvre à la porte de quelque palais
forain. Il transpirait un peu des tempes et tournait son
chapeau entre ses mains, comme font les solliciteurs.

La porte s'ouvrit soudain et Gérin-Labrit parut, un
trousseau de paperasses dans la main gauche.

« Je suis tout à fait navré, dit-il, à la pensée que
l'on vous a fait attendre ici, mon cher professeur. Que
voulez-vous? Nous autres, nous sommes pauvres et
nous n'avons ni salons ni antichambres. Venez, professeur Périot. »

Il entraînait le savant sans cesser de parler et en lui
prodiguant des témoignages excessifs de déférence et

de cordialité. Il le fit enfin pénétrer dans un assez petit bureau dont les murailles, auxquelles Patrice eut le temps de jeter un bref regard, s'ornaient de plusieurs portraits de révolutionnaires illustres.

Et, tout de suite, sans même laisser à Patrice Périot le temps de souffler et de se ressaisir, l'homme au beau visage décharné prit l'offensive, à sa manière :

« Vous constatez, mon cher professeur, que vos amis sont toujours vos amis, en dépit d'un dissentiment passager, et qu'ils ne ménagent rien pour vous assister dans cette douloureuse affaire. »

Patrice Périot fut si décontenancé par cet exorde qu'il resta plus d'une minute silencieux, sans trouver les éléments d'une réplique et se demandant même pour quelle raison déterminante il s'était hasardé à faire cette démarche. Il pensait : « Ce Gérin est très habile. Il parle bien, et audacieusement. Il va m'entortiller et me désarmer. Je n'aurais pas dû venir le voir. J'aurais dû... J'aurais dû... »

Ainsi voguaient à la dérive les réflexions de Patrice Périot, et, soudain, avec une sorte de brutalité qui était, dans les grandes occasions, chez lui, l'alliée du courage, il dit, d'une traite :

« Je suis venu, mon cher Gérin-Labrit, au nom de l'amitié à laquelle vous venez de faire allusion, je suis venu vous demander d'arrêter cette campagne de presse dont vous avez pris l'initiative, sans me consulter d'ailleurs, et à laquelle tant d'autres journaux commencent de faire écho.

— Attention! Attention! fit Gérin-Labrit, en saisissant, sur son bureau, une feuille qu'il était vraisemblablement en train de lire avant l'arrivée du professeur. Voyons, voyons... »

L'air en même temps épiscopal, négligent, dégoûté, Gérin-Labrit parcourait le papier qu'il tenait du bout des doigts, comme s'il eût craint de se salir. D'un trait de crayon rouge, il marqua deux des colonnes et laissa retomber la gazette sur son bureau.

« Attention! reprit-il. Vous avez, je le vois bien, mon cher professeur, lu l'excellent article publié, ce matin, dans notre journal, par notre collaborateur et camarade Dupré-Mollard, spécialement chargé de cette enquête. Nous sommes dès maintenant en mesure d'affirmer que votre malheureux enfant a été lâchement exécuté par la clique d'anciens camelots du Roi et d'anciens miliciens bien connue de la police spéciale sous le nom de « groupe Gaëtan 4 », du nom de son chef, personnage trois fois condamné à mort par contumace, depuis la libération... Hein? Plaît-il? »

Patrice Périot venait de se lever, en proie à une vive agitation. Il demeura debout, mais immobile, un bon moment, et sans rien dire, puis il se laissa retomber sur sa chaise en soupirant.

« Tout cela est faux. Tout cela est horrible et absurde.

— Nous étions sur le point, poursuivit Gérin-Labrit imperturbable, d'abandonner notre campagne, malgré notre souci de justice et de sécurité nationale. Nous sentions que cette nécessaire agitation vous était pénible; et nous nous proposions de laisser opérer les services de sûreté après leur avoir donné l'éveil. Mais voilà que nos adversaires, avec une impudence inqualifiable, annoncent, dans leurs organes immondes, que le jeune Hervé Périot a été secrètement exécuté par les communistes et cela, paraît-il, pour deux raisons. La première est qu'un dissentiment s'étant manifesté entre le professeur Périot et les véritables révolutionnaires — ces messieurs sont bien renseignés et on peut se demander par qui — les révolutionnaires n'auraient plus rien à ménager de ce côté. Ce sont leurs propres termes. La seconde raison est, au dire de ces messieurs, que les communistes, alléguant les opinions avancées et bien connues du professeur Périot, auraient un excellent prétexte pour attribuer le crime à leurs adversaires ordinaires. Voilà donc la thèse soutenue dans le journal du soir que l'on m'apporte à l'instant et qui ose s'appeler *La Vraie France*. Prenez la feuille, et lisez vous-même. Je vous l'ai dit, professeur, nous avions, hier encore, et ce matin même, l'intention de mettre fin à notre enquête, de laisser retomber un voile de silence. L'abominable attaque de notre adversaire commun nous prescrit de persévérer dans notre action. Il y va de notre honneur et du vôtre, mon cher professeur. »

Sur la feuille qu'on venait de lui tendre, Patrice Périot jetait un regard chargé de stupeur. Il ne parvenait même pas à lire attentivement deux phrases de suite. Il finit par poser le journal sur le bureau de Gérin et resta quelques moments sans parler, tout occupé qu'il était à faire des inspirations profondes, pour retrouver le calme et maîtriser ses muscles. Il dit enfin, d'une voix bien contenue :

« Les journalistes qui osent écrire de telles infamies sont des misérables. »

Gérin-Labrit secouait la tête à petits coups, comme le maître qui aide un écolier à réciter sa leçon.

« Continuez, dit-il. Continuez, professeur.

— Oh! je continue. Ces misérables se trompent et cherchent à tromper tout le monde. Mon malheureux enfant n'a pas été tué par les communistes.

— Je suis heureux de vous l'entendre dire. »

Sans s'arrêter à l'accent sarcastique dont Gérin-Labrit venait de marquer cette dernière phrase, Patrice Périot poursuivait, soudain très calme et la tête inclinée vers l'épaule droite, dans une attitude méditative.

« Non, mon malheureux enfant n'a pas été tué par vos amis, mais il n'a pas été tué non plus par vos adversaires.

— Vraiment? articula Gérin-Labrit avec l'accent du

juge d'instruction. Vraiment? Et comment le savez-vous?
Étiez-vous, par hasard, présent aux derniers moments
de votre fils? »

Patrice Périot regarda longuement son interlocuteur
et haussa les épaules.

« Je suis sûr, dit-il, que mon fils Hervé n'a pas été
assassiné et qu'il est inutile de chercher des coupables.

— Je ne sais quelles sont vos preuves, reprit Gérin-
Labrit. Je vous connais un peu, professeur. Si grand
que soit votre esprit de conciliation, vous n'accepterez
pas, je suppose, les solutions de commodité, l'hypothèse
d'un banal suicide, par exemple. Votre garçon était sain
d'esprit, bien constitué, bien portant. »

Patrice Périot, de seconde en seconde, semblait se
replier sur lui-même et rentrer dans le silence. Gérin-
Labrit dit encore, la voix glacée :

« Vous avez donné votre vie à la vérité. C'est du
moins ce que vous déclarez dans plusieurs de vos écrits.
Je ne peux pas croire que vous refuseriez de connaître
la vérité quand il s'agit de la mort de votre propre
enfant et quand des personnes tout à fait désintéressées
vous offrent de découvrir cette vérité. »

Périot se leva, fronça les sourcils dans un grand effort
et murmura :

« Si j'avais le moindre doute, j'en appellerais moi-
même à la justice de mon pays.

— C'est désormais une querelle qui vous dépasse et
sur laquelle nous avons le regret de ne pas être de votre
avis.

— Au revoir! » fit simplement Patrice Périot.

Il sortit sans rien ajouter. Il regarda filer l'ascenseur, préféra la solitude relative de l'escalier et gagna
la rue en hâte.

On était aux premiers jours de juin. La soirée était
chaude et belle, mais Patrice Périot marchait, au long
des trottoirs, comme un homme poursuivi, comme un

homme qui craint d'être reconnu. Il baissait la tête et
fonçait parmi les voitures, au risque de se faire renver-
ser et détruire. Il atteignit sa maison sans rien regarder
autour de lui, gagna sa chambre et s'y enferma. Il
demeura dans le creux de son fauteuil jusqu'à la nuit.
Il y était encore quand la sonnerie du téléphone retentit.
Il avait oublié de décrocher l'appareil après avoir
demandé le rendez-vous de Gérin-Labrit. Il passa dans
la pièce voisine, car Mme Hortense était absente et la
sonnerie insistait. Il entendait simplement faire cesser
cette voix impérative. Puis il pensa que Thierry n'était
pas encore de retour à la maison, et ni Christine,
d'ailleurs. Il prit donc l'appareil en main. « Allô! Allô!
disait une voix étrangère. Le professeur Périot? —
Oui! Que voulez-vous? — Ici le baron de Vivier-
Salabert. Je voudrais obtenir un rendez-vous du professeur pour lui exposer l'invention que j'ai faite en vue
d'acclimater le chou-palmiste jusqu'au 44ᵉ parallèle
dans les pays de climat marin. C'est une invention
cap... » Patrice Périot remit l'appareil au croc et
poussa de profonds soupirs. Un peu plus tard, la
sonnerie se fit entendre de nouveau. Le savant haussa
les épaules et cette fois rompit le contact sans même
approcher l'oreille.

Le soir venu, ayant pris un potage, Patrice Périot
demeurait, seul, dans son bureau, en proie à de noires
méditations, quand la porte s'ouvrit. C'était Christine.
Elle alluma la lampe plafonnière et déposa, sans mot
dire, sur le bureau de son père, un exemplaire de ce
journal, *La Vraie France,* sur lequel, au crayon rouge,
— tout à fait comme l'autre, là-bas —, elle avait marqué
le fameux article. Périot attendit que Christine fût
partie et il jeta le journal dans la corbeille. Il ne cessait
de répéter, à voix basse : « Le monde est fou! » Mais,
pour comble d'humiliation, il était, en cet instant de
détresse, hanté par une chanson burlesque et grossière,

une chanson d'étudiant qu'il avait entendue jadis brailler par des condisciples, à laquelle il n'avait pas pensé pendant cinquante ans et qui remontait du fond des abîmes, sans raison, sans raison, sans aucune raison, si ce n'était peut-être, un bruit, un rythme de la nature, une association d'idées. Patrice Périot pensait alors : « Le monde est fou! La machine humaine est folle! Je finirai par devenir fou, comme tous les autres, comme toute la vie. »

Le lendemain, au petit jour, il eut la visite de Maurice Ribeyrol et le trouva beaucoup moins taciturne que Christine. Le jeune homme apportait lui-même les journaux qu'il avait pris chez la concierge et lus dans l'escalier. Il jeta les journaux sur la table avec un courroux bafouilleur.

« Nous avons répondu, dit-il, alors ils contre-attaquent.

— J'espère, s'écria sévèrement Patrice Périot, que vous, Maurice, n'avez pas commis l'inqualifiable maladresse de répondre quoi que ce soit à ces élucubrations.

— Non, non, bien évidemment, répliqua Ribeyrol à qui l'émotion et la colère retiraient le contrôle de ses gestes. Quand je dis nous, je pense à ceux dont je partage les opinions et qui sont injustement calomniés. Lisez, lisez, père, leur article de ce matin.

— Voilà! murmura Patrice Périot. Il est dit que vous ne me laisserez pas dans l'ignorance de ces folies désolantes. Christine m'apporte les articles de *La Vraie France* et vous, Maurice, vous me faites lire les dissertations de *La Solidarité*. Toute retraite m'est soigneusement coupée.

— Il me semble, père, que vous devez être le premier à connaître ce qui se dit à propos d'un membre de votre famille. Vous devez suivre aussi attentivement les manœuvres de vos adversaires et les agissements de vos amis.

— De mes amis! s'écria Patrice Périot soudain furieux. Je vous en prie, mon garçon, ne parlez ici ni d'amis, ni d'adversaires. Je réprouve les uns et les autres, ceux de la gauche et ceux de la droite. Je ne vois que des furieux en proie à la haine. Mon enfant est mort et je vous ai déjà dit qu'il n'a pas été tué, que cette histoire d'assassinat est une invention démente. Mon enfant est mort et les voilà qui vont s'entre-déchirer à propos de ce malheureux petit fantôme dont je connais les ultimes pensées, s'il m'est seulement permis de prononcer à cette occasion le mot de pensée. Eh bien, qu'ils s'entre-déchirent, puisque telle est leur passion! Et quand ils auront usé leur fureur, le calme nous sera rendu. »

Maurice Ribeyrol commença de cheminer à reculons vers la porte. Il dit encore, avant de sortir :

« Vous prenez bien facilement votre parti d'une discussion qui risque de troubler notre existence à tous. »

Patrice fut sur le point de poursuivre le revêche, de lui reprocher sa méchanceté, son égoïsme. Il n'en fit rien. Il avait le sentiment de rencontrer les limites de son courage, alors que tout semblait, autour de lui, confirmer sa disgrâce, même ses enfants et les alliés de ses enfants. Par grand bonheur, il avait Thierry, mais Thierry semblait s'être évanoui dans les brumes et les fumées de cet orage. Où était Thierry? Et que devenait le cher Thierry? Était-il possible que Thierry ne fût pas auprès de son père, quand sa présence était si fervemment souhaitée?

Ce fut ce soir-là que Patrice reçut, entre plusieurs lettres, un message tapé à la machine à écrire et non signé. En un style de notaire, sans la moindre injure ou grossièreté verbale d'ailleurs, le correspondant anonyme instruisait le professeur Périot que sa fille Christine (en politique Véra Périot) était la maîtresse de Gérin-Labrit. La lettre était brève, mais contenait de ces renseignements que l'on appelle des précisions et, par exemple, l'adresse de l'appartement où les amants se donnaient rendez-vous et l'heure même de ces rendez-vous.

Patrice Périot qui, dès longtemps, se croyait cuirassé contre les coups des anonymes, fut ulcéré, sur la minute, et si profondément qu'il ne put se contenir. Il se prit à tourner en rond dans son cabinet de travail, puis dans sa chambre. Il avait un désir insensé de briser ce qui l'entourait, de déchirer ses manuscrits, de brûler ses notes et peut-être même d'incendier la maison... La pensée qu'on était ainsi parvenu à lui faire perdre toute mesure, tout bon sens le mortifia si bien qu'il prit enfin sur lui de rester immobile et de réfléchir. « Sa vie familiale, à laquelle il attachait tant de prix, était somme toute une faillite. Un de ses fils venait de se tuer. Une de ses filles, la plus intelligente sans conteste, s'était donnée, follement, à un homme qui... » Il cherchait des injures et mesura l'extrême pauvreté de son vocabulaire dans cette sorte d'épanchement.

Il refusa de dîner et demeura devant son bureau, sans lumière, épiloguant sur son infortune. La soirée s'avançait quand il entendit des pas dans le couloir. Il ouvrit la porte à tâtons. Le couloir était éclairé. Il aperçut Christine.

« Veux-tu me donner une minute? dit-il. Je voudrais te parler. »

La jeune fille entra dans sa chambre, posa son sac, sa jaquette, ses gants et s'en fut rejoindre son père qui venait d'allumer la petite lampe du bureau, et seulement celle-là, parce qu'elle n'éclairait que la table et qu'il espérait, par ainsi, dissimuler en partie le désordre de ses traits.

« Assieds-toi, dit-il, une minute. »

Depuis longtemps, les entretiens que Patrice avait

avec sa fille Christine ne présentaient plus rien de ce qui pouvait ressembler à la chaleur, à l'abandon, à la confiance souriante. Par son attitude, Christine décourageait de tels sentiments. Devant le petit monstre-docteur, Patrice éprouvait toujours un sentiment de contrainte et de timidité.

« Je voudrais, dit-il en parlant avec un calme calculé, je voudrais te montrer une lettre que j'ai reçue ce soir même. J'ai beaucoup hésité avant de te communiquer cette lettre, mais si je ne te la montre pas, je risque de perdre le repos de l'esprit, ce repos que tout, en ce moment, travaille à détruire. Lis donc cette lettre, mon enfant. »

Il présentait, ce disant, le papier à la jeune fille. Elle jeta, de loin, un premier coup d'œil et dit, de sa voix la plus unie :

« C'est une lettre anonyme. Pourquoi lis-tu les lettres anonymes, papa ?

— Ma pauvre enfant, ma vie est actuellement pleine de tourments monstrueux et presque inimaginables. Je pense qu'une vilenie peut quand même avoir le pouvoir de m'éclairer sur ce qui m'entoure. »

Christine prit la lettre, la lut sans la moindre émotion apparente et la reposa sur la table.

« C'est faux », dit-elle avec tranquillité.

Comme Patrice Périot attendait, étreint par une sorte d'espérance, elle ajouta :

« J'ai un amant, puisque c'est ainsi que l'on dit. Ce n'est pas Gérin-Labrit. J'admire Gérin-Labrit comme écrivain, comme orateur et comme chef. Mais il me déplaît et... comment dire ? il me dégoûte, physiquement. »

Il y eut un long silence. Patrice Périot n'osait pas s'avouer à lui-même que cette confidence ainsi faite, sans élever le ton, avec une sorte de sérénité cynique, lui apportait, en même temps, une confirmation accablante et un inexprimable soulagement. Il murmura :

« Je n'ai pas su vous élever. Depuis la mort de votre mère, vous êtes à l'abandon. J'aurais dû... J'aurais dû te marier.

— Mais non! Mais non! papa, répondit Christine de sa voix inflexible. Mais non! Tous tes regrets sont sans le moindre fondement. Je pourrais me marier. Je pourrais épouser mon... Enfin, tu ne le connais pas et il est inutile que je prononce même son nom. Je ne l'épouse pas parce que je ne veux pas l'épouser. J'ai vingt-cinq ans. Je sais ce que je fais. Je construis ma vie comme je l'entends. Je suis libre. »

Soudain, elle se ressaisit de la feuille, sans hâte, et arrêta sur le texte dactylographié un regard attentif, un regard d'expert.

« Je pense, dit-elle, que tu n'as jamais lu les lettres que ton gendre Maurice Ribeyrol tape à son bureau, pour ses affaires. Non? Eh bien, il possède une machine suisse, d'un type tout à fait particulier. La seule que je connaisse qui fasse la conjonction *et* en une seule frappe, de cette manière-là. »

Comme Patrice Périot n'ouvrait pas la bouche, Christine ajouta, sans élever le ton, sans accélérer le débit, avec cette étonnante maîtrise d'elle-même que son père lui enviait parfois :

« Ne t'imagine pas, surtout, que je vais lui faire une scène, à Maurice Ribeyrol, et me fâcher avec lui. C'est un être sans importance. Je le remercierai, quand même, à l'occasion. A cause de lui, maintenant, tu sais ce que tu dois savoir, ce que j'hésitais à t'expliquer moi-même, parce que nous n'avons pas les mêmes idées sur la vie et parce que nous ne parlons pas le même langage. »

Il y eut un grand silence et le petit monstre-docteur se leva, tout simplement, puis dit au moment de quitter la chambre :

« Toutes ces histoires des journaux commencent à prendre mauvaise tournure. Tâche d'y réfléchir, papa. C'est plus intéressant et plus grave que mes affaires personnelles. »

En fait, cette conversation troubla Patrice Périot si bien que, dans les jours qui suivirent, il n'arriva pas à fixer son attention sur les querelles de la presse. Il n'osait pas s'avouer à lui-même que les propos de Christine, au lieu de l'irriter, lui donnaient de l'apaisement. Il entreprenait, vingt fois le jour, de se morigéner, de battre sa coulpe : « Assurément il n'avait pas, sur la vie, des vues comparables à celles de la nouvelle génération. Marier Christine! C'était une pensée d'un autre temps, d'un autre monde, un expédient bourgeois. Il avait, alors que sa femme vivait encore, marié sa fille Edwige. Cette opération conventionnelle et d'apparence normale ne lui avait fait, il n'osait pas se l'avouer en toute franchise, aucun plaisir. Il avait donné cette belle créature à un garçon quinteux, sourcilleux, d'humeur tracassière, à un garçon pour lequel il n'arrivait pas à ressentir la moindre sympathie, à ce Ribeyrol qui lui inspirait parfois une jalousie inavouée, maugréante, quasi charnelle, à ce Ribeyrol qui ne savait même pas rendre sa femme heureuse. Alors pouvait-il s'étonner si Christine cherchait, à sa manière et par des voies imprévues, l'impossible bonheur? La pensée que cette Christine indéchiffrable, si différente de lui-même, et dont il admirait pourtant l'intelligence presque chimique, était tombée aux mains de Gérin-Labrit lui avait été intolérable et il en avait souffert atrocement pendant plusieurs heures. La certitude que le séducteur n'était pas Gérin-Labrit l'avait affranchi soudain. Le principal était que Gérin-Labrit, avec ses longues mains inquiétantes, son regard d'acier, sa dialectique inexorable, inspirât à Christine ce sentiment de répulsion qu'elle avait confessé dès l'abord. Avec l'autre,

quel qu'il fût, un semblant de transaction demeurait
toujours possible. On verrait par la suite. Il y avait
de ces unions libres qui, pour finir, apparaissaient
plus honorables que bien des mariages réguliers... »

A ce rythme allaient, piétinaient, tournoyaient les
méditations de Patrice Périot cependant que, les mains
aux poches, il se mouvait comme un fauve en cage dans
l'espace de l'étroite chambre. Parfois, saisi de colère,
il grondait : « Oh! que jamais je n'aie besoin d'eux!
que je meure sans avoir besoin d'eux! Ma tension est
assez basse, par bonheur! Et je ne songe pas à ma
prostate. Oui, je sais : ils auraient sans doute pitié.
Mais la pitié ne supplée pas l'amour, l'estime, le respect. » A ce moment de ses réflexions il se frappait le
front et criait : « Mais j'ai Thierry! Thierry! Thierry!
Comme je suis injuste et ingrat! Au fait, je ne le vois
presque pas, mon Thierry. Il arrive à la fin du jour et
gagne sa chambre sur la pointe des pieds. Oui, je sais,
il passe des examens. Si je le rencontre, il m'embrasse
et me regarde un moment. Un regard qui me bouleverse.
Il a toujours l'air d'attendre des miracles. Et moi, j'ai
fondé toute ma vie sur la défiance du miracle. »

Ces réflexions discordantes et confuses empêchaient
Patrice Périot de penser à l'autre drame, à celui qui se
développait, au même moment, dans l'opinion parisienne, dans les journaux nourris de scandale et dont il
se trouvait, lui, Patrice Périot, l'objet, le jouet, la
victime. Plusieurs fois par jour, Maurice pénétrait dans
la chambre où Patrice demeurait cloîtré. Il ouvrait les
journaux et les abandonnait sur la table après les avoir
marqués de traits au crayon rouge. A d'autres moments,
Christine entrait à son tour et jetait, sur cette même
table, à la même place, d'autres feuilles. Les deux
adversaires avaient l'air de jouer une partie de cartes,
silencieuse et acharnée. Patrice Périot, les visiteurs
partis, prenait tous ces journaux et les poussait avec

rage dans la corbeille. Il allait à la fenêtre et apercevait, de l'autre côté de la rue, ses petits-enfants, qui jouaient sur le balcon. C'était un beau balcon, spacieux. Les deux garçons y faisaient rouler deux petites bicyclettes. Patrice admirait leur grâce, leur agilité, leur promptitude. Puis il laissait retomber le rideau en murmurant : « J'ai peur qu'ils ne se fassent mal! Quelle sottise! Ils sont follement adroits. Dans le monde moderne, à ce qu'il paraît, mieux vaut encore être adroit que prudent. »

Le samedi soir, alors que, depuis plusieurs jours, Patrice n'avait pas quitté sa chambre, il vit entrer Romanil, le visage non pas ouvert et généreusement bougon, mais bien plutôt sombre et soucieux.

« Je ne t'ai pas vu depuis le début de la semaine, dit-il. Tu joues le jeu de la tortue. Je n'ai rien à dire. Peut-être même ne lis-tu pas les journaux. Je ne te critique pas. C'est une attitude qui peut se discuter et qui peut se défendre. Mais si tes enfants ne t'ont pas renseigné...

— Mes enfants me fatiguent et m'exaspèrent. Du moins certains d'entre eux. Je préfère, pour le moment, ne pas les écouter.

— Bien. Mais je suis venu te renseigner. Et sois tranquille : je serai aussi bref que possible. Les furieux de la droite et les forcenés de la gauche se livrent en ce moment, sur la tombe de ton fils, une bataille dérisoire, révoltante, une bataille où tu n'es pour rien, je veux bien le croire, mais que je trouve, en fin de compte, très regrettable pour la santé morale de ce malheureux pays dont l'équilibre n'est ni très ferme, ni, dirait-on, souhaité par personne. Je t'apprends, puisque tu ne le sais pas, puisque tu ne veux rien savoir, que le journal de ce Gérin-Labrit, que je ne peux quand même pas appeler ton ami, organise une grande manifestation populaire, avec un défilé qui doit se dérouler de la place de la Bastille à la place de la Nation. Le gouvernement a publié, hier, un petit communiqué disant que la justice nationale ne manquait et ne manquerait à aucun de ses devoirs, mais que tout désordre sur la voie publique serait sévèrement réprimé. Les journaux d'extrême gauche ont répondu, ce matin, que la manifestation aurait lieu, qu'elle serait placée sous le signe de la paix sociale et d'une justice vraiment vigilante et impartiale. Ce sont leurs propres termes. Les journaux dits réactionnaires parlent d'une contre-manifestation, réclamant, des services de la sûreté nationale, une vigilance suffisante pour réduire à l'impuissance les fauteurs de désordre. »

Clément Romanil cessa de parler et attendit, les mains à plat sur les genoux.

« Pourquoi me dis-tu tout cela ? fit enfin Patrice Périot dans un souffle.

— Pour que tu n'en ignores. Après tout, peut-être as-tu quelque chose à faire dans cette lamentable et funèbre comédie. »

Patrice Périot haussa les épaules et les maintint longtemps dans cette position pour manifester son impuissance. Les deux amis restèrent de longues minutes sans parler et Clément Romanil finit par se retirer.

Il était au moins huit heures du soir quand Patrice Périot entendit la voix de Thierry. L'enfant pénétra dans la chambre de son père, d'un bond. Il était très animé, pourtant il avait le visage sérieux, éclairé d'une belle et bonne lumière.

« Maintenant, dit-il, je ne te quitte plus. J'ai fait tout ce que j'avais à faire. Je ne veux pas t'inquiéter, crois-le bien, mais la concierge est sur les dents : elle voit arriver cinquante journalistes par jour. Tu n'en sais rien, parce que Mme Hortense fait des prodiges. Elle a mauvais caractère, Hortense, n'empêche qu'elle est admirable à certains moments. Je dîne avec toi, même si tu fais semblant de dîner. Et, surtout, je ne te quitte plus.

— Je pensais, murmura timidement Patrice Périot, te demander d'aller, demain, à ma place, porter une lettre à ton oncle Gustave...

— Je comprends, papa. J'irai lundi. Demain, je resterai près de toi tout le jour. Et si tu t'ennuies, papa, je te ferai la lecture. Je prendrai un bon livre. Tu sais que je lis bien les livres que j'aime bien. Du moins, c'est ce qu'on m'a dit. Maintenant, allons dîner. Ne serait-ce que pour faire plaisir à Hortense. Tu me comprends bien, papa. »

CHAPITRE XIV

La journée du dimanche commença dans un calme profond et que Patrice Périot jugea tout à fait anormal ou, pour mieux dire, annonciateur de tourmentes. Il perçut, de bonne heure, un bruit très léger, presque insensible et pensa que Thierry était allé sans doute entendre une messe basse. L'idée que Christine était peut-être à la maison l'effleura sans le bouleverser : il ne voulait plus penser à Christine avant d'avoir pris du recul. Il faisait maints efforts pour trancher les amarres et se résigner.

Il but une tasse de thé puis s'assit devant la table qu'il n'osait plus nommer sa table de travail. Depuis des jours et des jours, il s'asseyait ainsi. Depuis plus d'une semaine, il n'avait pas été jusqu'à son laboratoire : il se contentait de téléphoner à ses aides pour dire qu'il était souffrant. Et qui pourrait-il abuser? Il était arrivé au point de couronner de longues recherches en composant l'ouvrage capital de sa vie. Le laisserait-on rédiger cet ouvrage? Et s'il ne parvenait pas à le mener à bien, toute son expérience allait-elle demeurer stérile? Nul de ses élèves ne pouvait, en vérité, le poursuivre et l'achever par un discours cohérent, complet, tel celui qu'il formait et châtiait sans cesse dans ses rêveries itinérantes.

Il songea que cette journée serait sans journaux et

sans lettres. Quelle rémission! Quel repos! Il imaginait
des bouleversements universels, des secousses cos-
miques, des déluges, des éruptions, des tremblements de
terre et son esprit malade trouvait là quelque diversion
à sa détresse.

Il était peut-être dix heures quand Thierry demanda,
du couloir, s'il pouvait pénétrer dans le cabinet de son
père. Patrice Périot ouvrit la porte toute grande et le
garçon vint embrasser son père. Il avait ce lisse et frais
visage de l'adolescence que les hommes usés par le
travail et les soucis ne peuvent eux-mêmes regarder
sans une émotion dans laquelle il y a du regret, de
l'émerveillement, de la pitié, de la tendresse et sans
doute aussi un sentiment ineffable qui est comme la
contagion de la confiance et de l'espoir. Il n'avait pas
l'air naïf, le sourire extasié qui, dans sa petite enfance,
le faisaient appeler par sa maman « le ravi de la
crèche ». Il était calme et pur comme la matinée de
juin dont il semblait rapporter sur lui la fraîcheur
allègre. Il dit :

« Je ne te dérange pas, papa! Je ne veux pas te
déranger. Je reste avec toi, près de toi. Je peux aller
travailler ou lire dans ma chambre. Mais je peux
demeurer aussi un moment avec toi.

— Reste, mon petit, dit Patrice Périot, d'une voix
dans laquelle il laissait paraître, simplement, tant
d'effusions et de gratitude que le jeune homme, touché
sans en rien dire, sentit le rouge lui monter aux joues.

— Écoute, papa, dit alors Thierry en s'asseyant sur
le coin de la table, non point cavalièrement mais avec
une grâce tranquille, j'ai lu, ces temps derniers, ces
livres que tu m'as donnés, que tu as faits et que je
ne voulais lire que quand je serais en état de les comprendre. J'ai lu ces livres, et il me semble que je les ai
compris. Surtout, papa, je te prie de me pardonner
d'avoir attendu si longtemps. Ce n'est pas de l'indiffé-

rence, je t'assure, c'est plutôt de... l'humilité. Eh bien...

— Mais, mon garçon, je ne t'ai jamais fait de reproches. Les problèmes qui m'ont toujours retenu, qui m'occupent encore sont des problèmes qui se tiennent entre la science expérimentale et la philosophie, entre une science expérimentale que tu ne peux connaître que fort mal et une philosophie que tu aurais sans doute bien de l'héroïsme à trouver satisfaisante, étant donné ce que je sais de tes sentiments religieux.

— Eh bien, justement, papa, c'est ce qui te trompe. En ce qui touche la partie technique, les travaux de laboratoire, je n'ai rien à dire et je me garderai bien de dire quoi que ce soit, mais pour la philosophie, pour ta pensée philosophique, il me semble que je la comprends et j'ajoute même il me semble que nous ne sommes pas séparés de manière irréconciliable.

— Merci, mon petit, mais permets-moi de te dire : attention! Ne te laisse emporter ni par l'affection, ni par la charité, ni par... comment m'exprimer? par l'enthousiasme... annexionniste, pour parler à la manière des hommes politiques. Tu n'as probablement pas un souvenir bien net de Charles Nicolle. Il venait à Jouy, passer parfois une journée, avec moi. Tu n'étais alors qu'un très jeune garçon. Il est mort en 1936. Dans les derniers temps de sa vie, alors qu'il était à la montagne, il avait rencontré un jésuite fort intelligent. Nicolle était un Normand, un Rouennais, un homme très subtil. Comme il se sentait malade et grièvement tourmenté par les problèmes de la vie et de la mort, il a demandé au jésuite si, pour être réintégré dans la religion que lui avait enseignée sa mère, il lui suffisait de reconnaître qu'en biologie tous les phénomènes ne sauraient être expliqués par la raison. Naturellement, le jésuite, qui était, lui aussi, un homme très intelligent, a répondu que cela devait suffire. Peu de temps après, Nicolle est mort et des esprits sincères ont aussitôt parlé de conversion. Si mon confrère et ami Lucien Cuénot écrit que l'évolutionnisme est assurément une doctrine simple et cohérente, mais que cette doctrine n'explique pas tout, que le mouvement évolutif du cosmos a un sens — ce sont, je crois me rappeler, les propres termes de Cuénot —, et que ce sens implique une direction irrationnelle, oui, si mon confrère Cuénot s'avise de parler de l'anti-hasard, on fait aussitôt, de cet homme à l'intelligence magnifique et tolérante, un chrétien repenti, un pèlerin de Canossa. Tout cela n'est pas raisonnable. »

Ainsi parlait Patrice Périot et, de temps en temps, considérant le visage attentif, presque recueilli de son fils, il ne pouvait s'empêcher de penser : « Ce petit garçon me conduit comme on conduit un éléphant. Il voit, il sent, il sait que je suis très inquiet, très malheureux, alors il me parle justement de ce qui m'intéresse et me passionne encore, de mon travail, de mes idées. Il veut me distraire de mon tourment et, chose admirable, il y réussit... »

« Oh! ne crains rien, papa, fit alors Thierry parlant avec une lenteur bien extraordinaire chez lui, avec le calme et les arrêts de quelqu'un qui trace pas à pas sa route. Ne crains rien : je crois comprendre ta pensée. Elle m'inspire trop de respect, et même elle m'intéresse trop pour que je me permette jamais de la gêner par une parole maladroite. Non! il y a quelque temps encore, je te débitais des folies, je te disais par exemple : « Tu es des nôtres! Tu es avec nous! » Eh bien, non! je ne dis plus rien de tel.

— Explique-toi, mon enfant.

— Non, je veux être raisonnable. Je ne veux pas, moi, chétif, t'irriter, ni criailler dans l'espoir de te détourner de ta route. Et si cette route, un jour, croise la mienne... je ne dis pas se confond avec la mienne, je ne suis pas si fou... si cette route un jour croise la mienne, alors je chanterai des actions de grâce et il n'y aura personne au monde pour se juger plus heureux que moi.

— Mon cher Thierry... »

Petit à petit, le vieil homme se sentait gagné au jeu. Il avait, pendant le début de l'entretien, continué de diriger une oreille anxieuse vers le monde extérieur, d'attendre, dans l'angoisse de son cœur, il ne savait quel bruit, quelle nouvelle, quelle annonce de catastrophe. Et voilà que l'enfant Thierry, avec sa conversation tâtonnante, ses regards limpides, ses élans si purs, le délivrait, le soulageait, le guidait, sans bouger de place en apparence, vers les refuges de la sérénité. Et l'enfant Thierry ne relâchait pas de sa ferveur. Il disait :

« Je ne sais, papa, si tu es le premier entre tous les gens de ton école, à nous avoir rappelé, ce que tu dis dans tes derniers écrits, que nous n'avons aucune action décisive sur le fonctionnement des organes essentiels de notre corps. C'est bien ta pensée, n'est-ce pas? Nous les alimentons, mais nous ne pouvons ni les arrêter dans leur fonctionnement, ni les accélérer, ni les retenir, à moins d'employer des drogues, des poisons. Notre seul pouvoir serait de nous détruire... Pardon! Tu comprends que j'essaie de comprendre. Eh bien, moi, l'ignorant, moi, le mauvais élève, je te demande rien de plus. Et attends encore, papa, je ne me permets pas de franchir ta pensée, d'interpréter ta pensée. Telle, sans commentaire, elle me semble encore plus éloquente et plus troublante que ne le serait toute dissertation philosophique avec gloses et conclusions. »

« C'est étonnant, songeait Patrice Périot, cet enfant a trouvé le seul biais possible pour m'atteindre dans ma misère et me faire prendre les heures en patience. Chose incroyable, il me console de ma misère de l'heure en me parlant de notre misère éternelle. Il me détourne de songer au drame Périot en me priant de lui expliquer le drame de toute vie. »

Avec des arrêts, des reprises, des jeux, des démonstrations qui ressemblaient à des passes d'armes, la matinée finit par venir à son terme. Les autres enfants n'ayant pas donné le moindre signe d'intérêt ou même de vie, le père et le fils déjeunèrent, sobrement, l'un en face de l'autre. Le garçon ne cessait de tenir en haleine le vieux maître et tout cela non sans mouvements de tendresse, non sans questions brûlantes de passion et de naïveté.

« Charles Nicolle, dont je t'ai souvent parlé, s'écriait Patrice Périot, Charles Nicolle disait que l'intelligence de la nature n'a aucun rapport avec l'intelligence de l'homme. Mais je crois me souvenir que Daniel Huet, qui fut évêque d'Avranches, et qui est donc une autorité ecclésiastique, prétendait à peu près la même chose : « L'intelligence de Dieu n'a rien à voir avec « l'intelligence de l'homme. » Je cite de mémoire...

— Mais, papa, il est dit, dans l'Écriture : « Mes voies « ne sont pas vos voies et mes moyens ne sont pas vos « moyens... »

— Oui, oui, murmura Patrice Périot en secouant la tête, on trouve tout dans l'Écriture, l'espérance et la crainte, le calme et l'inquiétude. »

Après le déjeuner, Patrice Périot s'étendit un moment sur le divan de son cabinet de travail et Thierry lui proposa de lui lire à voix haute les pages de Pascal intitulées : *Prière pour demander à Dieu le bon usage des maladies.* L'enfant disait, en feuilletant le livre : « Je n'ai pas lu cela depuis longtemps, longtemps, depuis deux ans au moins. Tu sais, papa, ce n'est pas une lecture pieuse. C'est une lecture philosophique. Ce Pascal n'est pas un saint, c'est surtout un savant et un écrivain. »

Il s'installa près de son père, sur une chaise basse, et commença de lire, bien lentement, bien distinctement, en marquant une pause après chaque phrase. « Seigneur, dont l'esprit est si bon et si doux en toutes choses, et qui êtes tellement miséricordieux que non seulement les prospérités, mais les disgrâces même qui arrivent à vos élus sont les effets de votre miséricorde, faites-moi la grâce de n'agir pas en païen dans l'état où votre justice m'a réduit... »

Il poursuivit ainsi la lecture de ces pages pathétiques et, parfois, il s'arrêtait, la bouche ouverte, parce que son père, levant la main, réclamait un moment de silence. Patrice Périot alors, l'oreille tendue, écoutait la faible rumeur de la ville. Après un moment, le père laissait retomber sa main et Thierry reprenait sa lecture : « Mais, Seigneur, que ferai-je pour vous obliger à répandre votre Esprit sur cette misérable terre ? Tout ce que je suis vous est odieux, et je ne trouve rien en moi qui vous puisse agréer. Je n'y vois rien, Seigneur, que mes seules douleurs qui ont quelque ressemblance avec les vôtres. »

Comme Patrice Périot, tournant un peu la tête, regardait le jeune lecteur avec une profonde tristesse, l'enfant souleva le livre, pour cacher son visage et murmura :

« C'est beau, n'est-ce pas ? C'est bien beau et bien simple.

— Continue, je te prie », dit le vieil homme.

Le garçon lut encore deux pages. Il lui parut bientôt que son père commençait de respirer d'une façon calme et régulière. Alors il baissa la voix puis s'interrompit tout à fait. Il ne sut jamais si Patrice Périot s'était endormi ou s'il réfléchissait seulement, les yeux clos. A le voir, un moment, il pensa que c'était peut-être le prélude à la mort, que ce calme extraordinaire annonçait sinon la mort, du moins le renoncement à la vie. Mais la respiration du vieil homme passait, régulière, à peine sensible et faisait très faiblement palpiter la pointe de la cravate nouée lâchement sous le menton. Ce long silence dura peut-être deux heures. Puis Patrice Périot fit entendre une sorte de gémissement. Alors, d'une voix à peine perceptible, Thierry reprit sa lecture où il l'avait laissée : « Faites, mon Dieu, que dans une uniformité d'esprit toujours égale je reçoive toute sorte d'événements, puisque nous ne savons ce que nous devons demander... »

Il était peut-être six heures du soir quand Thierry crut entendre un léger bruit dans le couloir de l'appartement. Il posa son livre et sortit sur la pointe des pieds. Patrice Périot se leva, passa la main dans sa dure tignasse grise et gagna la fenêtre. Il resta là, regardant la rue où se promenaient des familles endimanchées. Au bout d'un bon moment, Thierry revint et ferma soigneusement la porte.

« C'est Edwige, dit-il.

— Que venait-elle demander ?

— Elle ne demandait rien. Elle m'apportait des nouvelles.

— Des nouvelles de qui ? De quoi ? »

Thierry ne répondit rien, tout d'abord. Patrice Périot, les bras croisés sur la poitrine, commença de déambuler de sa chambre à son cabinet de travail. Puis il passa dans la pièce encombrée de livres et que l'on dénommait la bibliothèque. Il saisit l'appareil téléphonique. Il semblait alors au comble de l'exaspération.

« Qui veux-tu appeler, papa ? »

Patrice Périot reposa l'appareil en place, heurta ses mains l'une contre l'autre et dit :

« Je ne sais pas. Je ne sais vraiment pas. »

Puis il se tourna vers son fils et dit :

« De quelles nouvelles parlais-tu, tout à l'heure avec Edwige ? Que s'est-il passé ? »

Thierry était soudain devenu tout pâle. Il répondit :

« Des choses graves. La manifestation a eu lieu, malgré les avertissements de la police. Elle a rencontré, à la hauteur de l'avenue Ledru-Rollin, une contre-manifestation organisée par les escouades de *La Vraie France*... c'est comme cela que s'appelle cette association. »

Comme le garçon en restait là, Patrice Périot, au bout d'une longue minute, demanda :

« Alors ? Continue, mon enfant, je t'en supplie ? Que s'est-il passé ? Y a-t-il des victimes ? Y a-t-il des morts ?

— Il n'y a pas de morts, s'il faut en croire la radio. Mais on a déjà relevé plus d'une dizaine de blessés qui ont été transportés à l'hôpital Saint-Antoine. La police a dû arrêter une vingtaine de personnes. A l'heure actuelle, tout doit être fini. Maurice, qui a poussé des reconnaissances par là, dit que le calme semble revenu. On annonce une grève de protestation pour demain, avec défilé devant la préfecture de police et le palais de justice. »

Patrice Périot se jeta dans son fauteuil et se cacha la tête dans son coude reployé. Il gémissait, d'une voix déchirée :

« Pourquoi ? Pourquoi ! Je leur ai dit que toute cette agitation était absurde et criminelle et sans aucun fondement, surtout, sans aucun fondement. Alors qu'ils cessent de se battre autour de la tombe de mon pauvre enfant ! Qu'ils me laissent en paix ! Qu'ils me laissent souffrir et mourir en paix. »

Il demeurait ainsi, presque prosterné, le visage contre la table, en proie à une agitation si pénible que Thierry, terrorisé, n'osait souffler mot. Le garçon était toujours aussi pâle, mais, petit à petit, les traits de son visage, ces traits si délicats, si puérils, se durcissaient, s'ordonnaient comme sous l'action d'une force intérieure. Il s'approcha, pourtant, de son père, par mouvements insensibles. Puis il se pencha vers le vieil homme et, profitant d'un moment d'épuisement, d'une reprise d'haleine, il dit :

« Papa, montre-moi cette lettre. »

Patrice Périot se releva, découvrant un visage décomposé, presque hagard.

« Quelle lettre, mon enfant?

— La lettre... Tu sais bien, la lettre que t'a laissée Hervé, quand il a quitté la maison.

— Mais, fit le vieil homme, l'air buté, je vous ai dit, à toi et à tes sœurs, que c'était une lettre sans importance.

— Justement, papa, si c'est une lettre sans importance, tu n'as aucune raison de ne pas me la montrer. »

Cette logique parut ébranler le savant. Il fit, de la tête, à plusieurs reprises, un signe de dénégation, puis il prit son portefeuille, l'ouvrit, en tira une enveloppe qu'il retourna entre ses doigts à deux ou trois reprises et que, finalement, il tendit au garçon. Après quoi, il alluma une lampe, alla jusqu'à la fenêtre et fit tomber les doubles rideaux, car le jour commençait de faiblir.

Thierry lut une fois, puis deux et trois fois la lettre que son père venait de lui confier. C'était une feuille de papier assez semblable au papier que l'on emploie pour la dactylographie. L'écriture, qui était grande et heurtée, couvrait juste l'un des côtés de la feuille et la moitié de l'autre côté. L'enfant Thierry lisait et relisait, le front plissé. Il semblait absorbé dans une méditation profonde. Alors le vieil homme se tourna tout d'une pièce, tendit les mains et dit :

« Cette lettre, tu le vois, est simple, trop simple, au fond, et affreuse. Ton frère proteste de son innocence pour je ne sais quoi. Comprends bien, Thierry! Tu as bien lu, Thierry. Ton frère a fait une dette de jeu. Quoi de plus simple! Quoi de plus bête! Ton frère

devait cent mille francs à des gens que je ne veux même
pas connaître. Tu as bien saisi. C'est absurde et humiliant. A deux reprises, il est venu me demander de lui
donner ces cent mille francs. Tu sais qu'Hervé n'était
pas de bon sens. Je n'ai pas pris cette demande au
sérieux. Et puis, je n'avais pas la somme. Je n'ai ni
fortune, ni économies, mon pauvre Thierry. Alors, je
l'ai rembarré. Oui, j'ai refusé, peut-être rudement. Je
ne sais pas. Je ne sais plus. J'avais, avec lui, de fré-
quentes querelles. Une de plus, une de moins... J'ai
refusé une première fois, puis une seconde fois de lui
donner ces malheureux cent mille francs. Alors voilà
que, tout à coup, il a résolu de se tuer. Il l'aurait peut-
être fait pour mille autres raisons. Il a choisi cette
misérable raison-là. Et regarde, regarde, mon enfant.
La lettre est rédigée de telle sorte qu'il semble m'accu-
ser, moi. Voilà! Voilà! Voilà! A croire cette lettre,
mon fils est mort parce que je n'ai pas voulu, moi,
Patrice Périot, lui donner cent mille francs, que je
n'avais d'ailleurs pas, pour payer une dette de jeu à
des gens qui ne réclamaient peut-être même pas cette
somme de façon pressante, car, en ce cas, ces gens se
seraient directement ou indirectement adressés à moi. »

Patrice Périot s'arrêta pour reprendre haleine. Il
était maintenant non plus furieux, mais accablé. D'une
voix plus basse, il reprit :

« Je n'ai voulu montrer cette lettre à personne.
Non, pas même au docteur Chabot, pas même à mon
vieux Romanil. Montrer cette malheureuse lettre!
Cette lettre absurde! Cette lettre qui m'accuse et qui
est injuste! J'ai donné ma parole d'honneur à Chabot
que ton frère s'était tué, et c'est vrai. C'est ainsi que le
permis d'inhumer a été délivré. Et puis j'ai pensé que
je pourrais souffrir en silence et de ma douleur et de
mon humiliation. Il paraît que non! Il paraît que
le monde entier s'en mêle! Il paraît que le monde entier

sait mieux que moi comment et pourquoi mon fils est mort. Et je ne peux pas, non, je ne peux pas dire la vérité, parce qu'elle me déchire, parce qu'elle me fait honte. Alors, je ne sais que faire, et il n'y a rien à faire. »

La tête inclinée, maintenant, le petit Thierry regardait d'un œil absent cette lettre presque démente, cette lettre de malade, et il commençait de la replier pour la glisser dans l'enveloppe. Puis soudain, il posa la lettre sur la table, vint jusqu'à son père, le saisit par le col et dit, d'une voix tremblante d'émotion :

« Eh bien si, si, papa. Il y a quelque chose à faire. Je ne le sais pas encore, et toi non plus; mais nous pouvons le savoir, nous allons le savoir.

— Que veux-tu dire? fit le vieil homme touché par cette voix brûlante.

— Papa! Il nous faut demander aide et conseil. Papa, je t'en supplie, n'aie pas honte! Agenouillons-nous ensemble, papa. Je t'en supplie, à genoux et prions.

— Mais, mais, fit Patrice Périot d'un air étonné. Mais, mon pauvre enfant, tu es fou. Prier? Mais je ne sais plus prier. Prier? Et qui prier? Toi, oui, mon petit, tu peux prier; mais, moi, moi, je ne sais pas, je n'oserais pas. Et je te dis encore : qui prier? Je ne suis pas fou. Je suis très malheureux, mais je ne suis pas fou.

— Papa, je vais t'apprendre. Et nous allons prier ensemble. Prier, cela signifie seulement demander avis, conseil, assistance, quand on ne trouve plus rien de tel en soi-même. A genoux! Tous les deux, ensemble, à genoux!

— Mon cher, répétait Patrice Périot stupéfait, je veux bien me mettre à genoux, puisque tu me le demandes. Mais je t'avoue que je n'en ai pas l'habitude. Et que vais-je faire à genoux?

— Papa, nous allons inventer une prière, une prière

que nous puissions dire ensemble. Répète, papa!
« O vous que je ne connais pas, mais qui êtes mon seul
« recours à l'heure de l'affliction... » Répète, papa!

— Je veux bien répéter, dit Patrice Périot d'une
voix brisée. « O vous que je ne connais pas, mais qui
« êtes mon seul recours à cette heure où je suis si
« malheureux... »

— « Conseillez-moi! poursuivait l'enfant. Inspirez-
« moi! aidez-moi! dans ma misère à trouver ma
« lumière et mon chemin. »

Patrice Périot répéta cette seconde phrase comme
un enfant. Alors Thierry dit encore :

« Et maintenant, silence! »

Un grand silence tomba. Patrice, complètement soumis, regardait le visage extasié de son enfant. Enfin
Thierry se releva, très vite, et saisit son père par le
bras.

« Debout! Debout! dit-il.

— Mon pauvre enfant! dit Patrice en se relevant
non sans peine, je ne sais plus ce que je fais. Oh! je
souffre de mes genoux. Attends! Attends! Quelle
épreuve! Aide-moi, je te prie, à regagner le fauteuil. »

Thierry conduisit son père jusqu'au fauteuil et
s'agenouilla près de lui. Son visage était redevenu
rose et enfantin. Il dit :

« Et maintenant, nous savons ce que nous devons
faire.

— Que veux-tu donc faire, mon Thierry?

— Tu vas me laisser copier cette lettre. J'en ferai
deux copies. J'irai moi-même voir les autres, les gens
qui te torturent, et nous nous humilierons ensemble,
toi et moi, devant eux.

— Et comment, mon pauvre enfant?

— En disant la vérité. »

Patrice Périot semblait maintenant tout à fait calmé,
tout à fait épuisé, aussi.

« Oui, oui, murmura-t-il. La vérité. Et puis, et puis, c'est la seule chose à faire. Et après, que les furieux se taisent! Et s'ils pensent que je suis un mauvais père, eh bien, tant pis! J'ai bien assez souffert pour avoir racheté ma faute, si vraiment j'ai commis une faute. »

Thierry venait de s'asseoir à la table et, tout de suite, il commençait de copier la lettre. Il disait, relevant de temps en temps les yeux.

« J'irai les voir, les furieux. J'irai moi-même, papa. Et je leur demanderai de te laisser en paix. »

La copie faite, il revint vers son père, le saisit par le col et lui souffla dans l'oreille :

« N'aie pas honte, papa! Et même, remercie. Oh! je ne te demande pas de penser avec exactitude à Lui, ni même à quelqu'un. Regarde devant toi, regarde le ciel. On ne peut pas ne pas regarder le ciel. Et remercie! »

Patrice Périot étreignit l'enfant à pleins bras, le souleva comme il faisait jadis, aux jours heureux de la jeune paternité, et il dit :

« Toi d'abord! Que je te remercie, d'abord! Et puis, fais ce que tu veux. Fais ce que tu peux faire, mon petit. Méfie-toi, surtout! méfie-toi de tous ces gens. Méfie-toi de tout et de tous. »

CHAPITRE XV

Comme les verdures de juin étaient exubérantes et le cernaient de toutes parts, au fond du clos, Patrice Périot pensa : « Il y a, dans le vert, c'est indiscutable, une vertu reposante, apaisante, une action mal explicable et qui doit trouver, tout simplement, son point de départ dans la rétine et, de là, dans les centres nerveux de la vision. Mais, pour que ce vert agisse, il faut laisser l'animal à lui-même. Il est préférable que la raison ne s'en mêle pas. Car ils me font rire ces gens qui parlent volontiers de la grande paix de la nature. Sauf aux endroits où l'homme parvient à mettre, par la force, un semblant d'ordre, je ne vois qu'une horrible et cruelle confusion. Tout n'est que bataille et meurtre innombrable. Tout attaque et tout se défend. Tout n'est qu'oppression et que servitude. Et nous, nous, qui parlons si volontiers de justice et d'égalité, nous nous comportons comme cet insidieux liseron et comme cette farouche clématite sauvage. Je suis ici depuis quatre jours et je n'ai fait que tuer. Oui, j'ai tué les mouches, les moustiques, les petits papillons, les moucherons. Nous avons dû réduire cette inquiétante invasion de fourmis. Autrefois, cela ne me tourmentait guère. Je me défendais, allégrement. Aujourd'hui, la confiance n'y est plus. Je suis au-delà de toute tristesse. Et pourtant, je devrais me détendre.

Je pourrais même, comme dit Thierry, prononcer des actions de grâce. Pourtant, moi, je n'ai pas la grâce! Et qu'est-ce que la grâce, sinon un merveilleux aveuglement, sinon une miraculeuse surdité, sinon un renoncement ébloui à toute fonction intellectuelle. »

Patrice Périot cheminait maintenant vers la maison et s'efforçait de recenser les événements de la semaine. Il avait connu, le dimanche soir, quelques heures de détresse parfaite. Puis, vers minuit, Thierry était revenu, très animé, très exalté, soulevé d'enthousiasme. Il avait vu Gérin-Labrit et il lui avait parlé. Il lui avait lu la copie de la lettre, et il n'avait pas supplié, non certes, il avait même parlé haut, comme l'avocat de la vérité et de la sagesse. Ce même soir, il avait été visiter les gens de l'autre bord et les avait harangués avec reproche et véhémence. Il avait, en revenant, le regard rayonnant que l'on avait dû voir jadis au jeune Daniel quand il était sorti de la fosse aux lions. Et Patrice avait pensé que l'enfant était bien touchant et persuasif, dans sa candeur, mais que tout cela ne servirait de rien, qu'il se serait, lui, Patrice Périot, humilié en vain, qu'il aurait, en vain, frappé sa vieille poitrine oppressée, que le monde, emporté dans sa frénésie, ne pourrait et ne voudrait rien entendre, que tout était gâté, corrompu, empoisonné, que la passion du vacarme dégradant l'emporterait sur tout vœu d'apaisement, que le siècle était ainsi et qu'il n'y avait qu'à le supporter ou à périr, et que supporter serait très prochainement au-dessus de ses forces.

Or, fait bien surprenant, dû peut-être à ces démarches de Thierry, peut-être à des interventions énergiques des pouvoirs publics, l'apaisement était survenu, très vite, comme cela se passe quand la presse entreprend d'enterrer une affaire scandaleuse et cesse assez soudainement d'en parler. De petites notes, sans grand venin, avaient encore été publiées, de-ci, de-là, pour expliquer

que la justice avait fait son enquête et que cette
enquête ne comportait aucune inculpation. Entre-
temps, la lassitude était venue et l'attention du public,
dérivée vers d'autres artifices, abusée par d'autres sorti-
lèges, éblouie par d'autres fusées, avait tout à coup
lâché cette proie un moment offerte.

Thierry rayonnait. Il ne quittait plus son père et
disait parfois : « Tu vois! Tu vois! Nous avons été
entendus! » Patrice Périot hochait la tête comme pour
dire « oui! », mais il était pénétré d'une insurmontable
lassitude. Il avait quitté Paris dès les premiers symp-
tômes de calme, dès qu'il avait su que les journalistes n'assiégeaient plus la maison, que les photographes
ne le guettaient plus au coin de la rue Damrémont,
que l'on pouvait remettre le téléphone en place sans
redouter d'avoir la cervelle vrillée par d'impérieuses
sonneries. Il avait quitté Paris et s'était réfugié à Jouy.
Il pensait, en marchant derrière la brouette du jardinier
qui portait les valises : « Je ne sais ce qui est arrivé à
ma carcasse, mais j'ai vieilli de vingt ans en quelques
jours. Je marche à petits pas, comme Pierquin. J'ai le
cœur qui s'arrête sans raison et repart au galop. Des
extra-systoles, oui, des extra-systoles. Ils m'auront
tué, tous ces gens. Je peux leur avoir de la gratitude.
Il ne me reste plus grand-chose à faire pour m'enfoncer
dans le repos définitif. »

Il était là depuis quatre jours et la paix était autour
de lui, mais non pas en lui. Les vagues mêmes du silence
venaient se briser sur sa tristesse et ne parvenaient pas
à l'effriter, à la dissoudre. Il pensait, vingt fois le jour :
« Je ne guérirai pas de cette dernière atteinte. Et je n'en
guérirai pas, d'abord, parce que je n'ai pas la moindre
envie d'en guérir. »

Telles étaient ses pensées pendant qu'il cheminait
dans les allées du jardin à demi sauvage. Et, cependant, il ne cessait de regarder toutes choses avec les

yeux du chercheur, avec les yeux qui interrogent. Il
songeait : « Bergson a dit que dormir, c'est se désintéresser. Alors où en suis-je? Mourir, c'est aussi se
désintéresser. Or, je veux mourir, je demande les
consolations dernières de la mort et je n'arrive pas à me
désintéresser. Ai-je droit aux douceurs de la mort?
Voilà, le jardinier a planté des volubilis au pied de ce
vieux tronc mort. Et il a tendu le long du tronc une
ficelle. Et le volubilis ne veut pas tourner autour du
tronc. Il préfère tourner autour de la ficelle. Il n'a
sans doute pas la force d'embrasser un si gros tuteur.
Il doit y avoir, là, une loi et des limites. Il faudrait
étudier cela. Et pourquoi le volubilis s'enroule-t-il dans
ce sens? Pourquoi tourne-t-il dextre et non senestre?
Il doit y avoir encore là quelque raison, quelque règle.
Et, du fond de mon malheur, cette raison me sollicite.
Je suis encore curieux, et c'est par coutume d'esprit.
Cette raison ne ressemble pas à l'espoir. Le beau volu-
bilis, pour vivre, étouffera tout ce qu'il rencontrera,
tout ce qui sera plus faible que lui. C'est dans l'ordre.
Eh bien, une seule chose pourrait me consoler, me
pacifier, me faire tomber à genoux, et ce serait de voir
le volubilis, l'insinueux et délicieux volubilis se sacrifier.
Mais qui se sacrifie? L'homme, parfois. Allons!
Allons! Moi, par tradition, je ne suis pas de ceux qui
considèrent l'homme comme la fin dernière de la nature.
Non! »

Patrice fit encore quelques pas et, soudain, sentit
que d'autres pensées jaillissaient, du fond de lui,
bouillonnaient au fond de lui : « Si! Si! murmura-t-il.
On a, pendant la dernière guerre, au temps des priva-
tions extrêmes, observé que la femme enceinte mai-
grissait, quand elle était par trop mal nourrie, mais
que le petit enfant, le fruit de ses entrailles, jusqu'à
l'extrême limite de la disette, ne souffrait pas trop. La
femme n'y pouvait rien, naturellement. C'est la chair

de la mère qui se sacrifiait à l'enfant. Et pourquoi?
Pour sauver l'espèce? Et l'espèce est-elle une divinité
pour exiger ce sacrifice et pour l'obtenir? La nature
est-elle une divinité? Quelle divinité incompréhensible, alors, et indifférente à nos vœux! »

Patrice Périot venait de contourner la maison. Il
apercevait la vallée de l'Oise et, devant lui, le chemin
couvert de cailloutis qui unissait la maison à la poterne.
Il resta là, quelque temps, les yeux baissés et il se
préparait à pénétrer dans la maison, à remonter dans
sa chambre, quand il entendit un bruit de pas, sur le
gravier de l'allée. Il releva la tête et vit une forme
humaine, vêtue d'un costume sombre. « Ma vue faiblit,
pensa-t-il. Qui est-ce? Qui vient encore me tourmenter
dans cette solitude? » L'homme approchait, s'éventant
avec son chapeau, car la chaleur était orageuse. « Tiens!
murmura Patrice Périot, toutes les fibres de son corps
en arrêt soudain, tiens! c'est Schlemer! »

Le gros homme s'avançait, avec cette sorte de déli-
catesse de la foulée que l'on voit souvent aux obèses.
Il fit, de loin, sans hâter le pas, un geste amical.
Patrice Périot l'attendit, assailli soudain de mille pensées anxieuses et déplaisantes. Enfin le visiteur fut
devant lui, tendant la main. Comme Patrice Périot
serrait cette main, l'air réticent et sans mot dire,
Schlemer prit tout de suite la parole, avec rondeur :

« Je sais, mon cher maître, que je viole une consigne.
Votre gendre me l'a dit et répété... Laissez-moi vous
avouer, en passant, que ce garçon n'est pas un modèle
de courtoisie... Votre fille, notre excellente camarade
Véra, m'a déconseillé, elle-même, de venir vous impor-
tuner dans cet ermitage. Et pourtant, je suis venu, car je
suis bien sûr que, malgré d'insignifiantes querelles, nous
sommes toujours d'accord sur le fond des problèmes. »

Patrice Périot, toujours silencieux, hochait la tête
de manière imperceptible et pourtant interrogative.

Le gros homme se ressaisit tout de suite du fil de l'entretien :

« Il s'agit d'une vie humaine, mon cher maître, d'une vie très noble et très précieuse. Oh! je sais, toute vie, à vos yeux, est belle et précieuse, vous me l'avez souvent dit, vous l'avez souvent prouvé. Mais je parle ici d'un poète. Je plaide pour un poète afghan : Hemmet Tekrit, qui était en prison depuis deux années et pour la libération de qui nous avons mené campagne dans nos journaux... Vous lisez nos journaux, mon cher maître... Le grand poète Hemmet Tekrit vient d'être condamné à mort, à raison de son activité non pas même politique, mais humaine, humaniste, humanitaire... Pesez le sens de ces trois mots, mon cher maître. Hemmet Tekrit est condamné à mort par pendaison, ce qui est à la fois odieux et volontairement avilissant...

— Attendez! Attendez! dit Patrice Périot. Veuillez me suivre et nous allons monter dans ma chambre. »

Il considéra le visage de Schlemer, ce visage congestionné, couvert de sueur et ajouta :

« Je vais vous faire servir une boisson fraîche. Que voulez-vous? De l'eau? Seulement de l'eau? Oui, je comprends très bien. Vous aurez de l'eau et peut-être un citron, s'il y en a, par chance, dans la maison. »

Cinq minutes après, Mme Hortense alertée, l'eau fraîche servie, le visiteur assis dans un fauteuil, l'entretien reprit, toujours mené par Schlemer.

« Nous n'avons pas perdu, dit-il, une seule minute. Nous avons rédigé une protestation très brève et très digne. Vingt lignes, comme vous pourrez voir. Vingt lignes qui sont, surtout, un appel à l'apaisement. Vingt lignes pour rappeler au gouvernement afghan que nous sommes surtout animés par un grand et sincère désir de concorde. Vingt lignes pour rappeler la carrière de Tekrit et l'importance internationale de son œuvre, qui est traduite en français depuis l'an dernier et publiée

par les soins de la *Librairie indépendante,* comme vous
le savez, mon cher maître. Nous avons déjà réuni une
trentaine de signatures tout à fait éminentes : des
membres de l'Institut, des professeurs en Sorbonne,
des hommes politiques et non seulement de ceux qui
appartiennent à la gauche militante, il va sans dire,
mais des gens du centre et même de la droite. Nous
n'imaginons pas que votre signature pourrait manquer
sur cette feuille. Signer cet appel, c'est un honneur que
nous vous prions d'accepter. »

Il y eut un grand moment de silence et Patrice Périot
dit, la voix très calme :

« Je ne connais pas Hemmet Tekrit. Je l'avoue à
ma vive confusion. Je ne peux tout lire. Je fais des
vœux sincères pour qu'Hemmet Tekrit existe et pour
qu'il soit effectivement un grand poète.

— Mon cher maître... mon cher professeur...

— Non! Non! je ne plaisante pas. Je n'ai pas du
tout le cœur à plaisanter. Voulez-vous me donner à
lire le texte de cet appel? »

Schlemer tendit une feuille de papier et Patrice
Périot commença de lire en silence. Comme il revenait
aux premières lignes et semblait encore moins lire que
méditer, Schlemer dit, entre haut et bas :

« Je comprends, mon cher maître, qu'il y a, de notre
part, beaucoup de hardiesse et même presque d'indiscrétion, à venir vous demander quoi que ce soit, au
lendemain d'événements qui vous ont sans doute déchiré.
Nul ne le comprend mieux que moi. Et cependant, je
n'ai pas hésité une seconde. J'ai accepté cette mission
difficile...

— Cette mission, poursuivit tranquillement Patrice
Périot, cette mission dont Gérin-Labrit ne voulait sans
doute pas se charger lui-même, parce qu'il se défiait de
sa propre éloquence qui est moins souple que la vôtre,
Schlemer.

— Je ne comprends pas, mon cher professeur. Il n'y a eu, entre notre camarade Gérin-Labrit et moi, ni débat, ni choix. Mais accord complet et certitude parfaite au sujet de votre réponse. Quant à l'allusion que j'ai pris la peine de faire au sujet des très pénibles épreuves qu'il vous a fallu subir ces temps derniers...

— Ne vous inquiétez pas, Schlemer. J'ai très bien compris cette allusion et je n'ai pas supposé un seul moment que vous veniez réclamer ici le prix de votre silence, enfin du silence de votre clan.

— Oh! mon cher maître!

— Non! Non! ne vous inquiétez pas. La susceptibilité n'est pour rien dans ce que je viens de dire. Seulement ce que j'appellerai l'habitude invétérée de l'observation scientifique. Je vais signer cette feuille. »

Patrice Périot prit une plume et contresigna le texte de l'appel.

« Eh bien, mon cher professeur, dit le gros homme en se dressant sur ses jambes, eh bien, je suis obligé d'avouer que je viens d'éprouver une des grandes émotions de ma vie! Cette générosité! Cette noblesse d'âme! Cette compréhension devant les problèmes de l'humanité, de la charité... »

Patrice Périot était assis devant sa table de travail. Il regardait Schlemer évoluer par la pièce. En entendant toutefois le mot de charité, il leva la main, modérément, et, comme Schlemer se taisait, il dit, avec beaucoup de douceur :

« Écoutez-moi bien, Schlemer. Je signe, j'ai signé. C'est fait. J'ai signé malgré toutes mes résolutions. Et surtout, surtout, malgré toute menace de chantage. J'ai signé en dépit de tous les calculs. Voilà. Maintenant, écoutez-moi encore : je n'ai pas fini. Vous et vos semblables, vous êtes, aussi bien que vos adversaires, aussi bien que les forcenés de l'autre camp, vous êtes désormais sans pouvoir sur un homme qui a touché le fond de la tristesse. Comme vos ennemis de l'autre bord, vous êtes, sans vous en douter toujours, astucieux, méchants et obstinés. Vous êtes, comme eux, sans bien le savoir, peu dignes de la qualité d'homme. Je signerais de la même façon, demain, Schlemer, s'il s'agissait d'obtenir la grâce de votre assassin.

— De mon assassin, mon cher maître!

— Oui, de celui qui croirait avoir le droit de vous juger et de vous tuer. Je signerais par horreur de la cruauté universelle, de la folie universelle, de la sainte, de la religieuse fourberie des partis et des clans. Je signerais par pitié pour les malheureux qui se laissent conduire les yeux bandés, comme le bétail que l'on mène à l'abattoir, et par pitié aussi, certainement, pour les forcenés, pour les ambitieux qui attachent de tels bandeaux, qui parlent de libérer les multitudes, et qui ne songent qu'à leurs passions, à eux... »

Il y eut un grand moment de silence et Patrice Périot ajouta :

« En conséquence, ne prenez la peine ni de parler d'émotion, ni même de me remercier. Je signe pour moi, d'abord. Je signe aussi pour ce poète que je ne connais pas et qui est un instrument entre vos mains industrieuses. Un très misérable et très pitoyable instrument, même s'il est grand, comme vous le dites. »

Schlemer s'était emparé de la feuille et la repliait d'un air songeur pour la reglisser dans l'enveloppe. Enfin, voyant que Patrice Périot semblait bien résolu à ne plus rien dire, le gros homme fit laborieusement un sourire et retrouva sa voix bien timbrée :

« Je veux, mon cher professeur, oublier un mouvement d'humeur bien compréhensible chez un homme affligé. Je veux oublier ce que vous venez de dire et répondre simplement : merci! Et maintenant, une minute encore. Un autre poète, que vous connaissez celui-là, que vous respectez, va me fournir la conclusion de notre entretien :

> *Honte au penseur qui se mutile*
> *Et s'en va, chanteur inutile,*
> *Par la porte de la cité!*

Vous n'accepterez jamais d'être ce penseur failli. Et c'est pourquoi nous vous conservons toute notre admiration. Ne vous inquiétez pas, mon cher maître, je vous laisse à vos travaux. Une voiture m'attend à la porte. »

Patrice Périot reconduisit son visiteur jusqu'à la porte du clos. Il avait l'air, maintenant, tout à fait détendu, libre et froid. Il fit, au passage, diverses remarques touchant les arbustes et les fleurs, puis il parla de l'orage que l'on entendait gronder, au loin, dans la soirée finissante. Il serra la main toute humide de sueur que Schlemer lui tendait et regarda démarrer la voiture qui était conduite par un personnage à feutre gris et à chemise écossaise. Seul enfin, Patrice Périot revint vers la maison. Il décida, dès le troisième pas, de ne plus penser à Schlemer, ni aux compagnons de Schlemer, ni aux adversaires de Schlemer. Chose admirable, il eut presque tout de suite un plein succès dans cette œuvre d'oubli. C'est ainsi qu'il se retrouva, bientôt, en solitude avec lui-même.

Il dîna, dans la salle basse, en face de Thierry. Le garçon était, de nouveau, vif, un peu loquace, prêt aux effusions. Patrice l'entendait parler et s'abandonnait à ses réflexions personnelles dont il ne laissait rien paraître. L'orage, qui avait traîné longtemps au lointain, semblait s'approcher, précédé par de brusques et violentes bouffées de vent qui entraient par la fenêtre ouverte et faisaient crier les oiseaux nichés dans la vigne vierge ou dans le lierre des murailles. En vérité, la visite du gros clown était totalement évanouie, digérée, oubliée. Patrice revenait aux pensées qui le tourmentaient depuis quelque temps. Il avançait, à travers ces pensées, avec une sage et implacable lenteur, mais il avançait : « Christine, songeait-il, n'a pas besoin de moi. Elle a trouvé sa religion, sa loi, sa route. Edwige a des enfants, des devoirs, un mari, oui, un compagnon bien assez vétilleux et chicaneur pour lui faire oublier des problèmes auxquels, par nature, elle ne songe même pas. Les petits enfants, les chers petits, on ne peut penser utilement à eux : ils vivront dans un monde que nous ne pouvons pas même imaginer. Quant à Thierry, il est sauvé, oui, sauvé dès maintenant, quoi qu'il arrive, puisqu'il a été frappé par l'éblouissement admirable. Alors, je suis libre, libre, libre... »

Le dîner pris, Patrice Périot déclara qu'il se retirait dans sa chambre pour travailler. Le jeune Thierry fit oui de la tête, mais à deux ou trois reprises, il jeta sur son père un regard furtif et pourtant insistant, et pourtant pénétrant. L'orage arrivait, décidément, du sud. Soudain, toutes les lumières de la maison s'éteignirent, comme il arrivait parfois quand la foudre avait touché quelque organe essentiel du secteur. On alluma des bougies et Patrice prit un candélabre en main. De temps en temps, un éclair déchirait les ténèbres et l'on apercevait, par les fenêtres, les peupliers du val, toute la feuille rebroussée, hurlant de frayeur.

Patrice commença, le candélabre en main, de gravir l'escalier de bois dont les marches criaient et gémissaient. Il pensait, ainsi marchant : « Einstein, paraît-il, déclare que la chose la plus incompréhensible du monde, c'est que le monde est compréhensible. Einstein est un physicien et c'est pourquoi, sans doute, il prononce des phrases aussi follement imprudentes. Il ne

songe qu'au temporel. Il ne songe même qu'à l'inanimé.
Il ne parle pas en biologiste. Il ne fait sûrement pas
mention de l'âme, c'est-à-dire du principal, de l'âme
qui est la moins compréhensible des réalités. »

Comme il parvenait à la dernière marche avant
l'étage, il fut effleuré par l'image de Schlemer : « Je
veux croire, dit-il, que ce lourdaud ne s'imaginera pas
qu'il est pour quoi que ce soit dans mes décisions. Ce
serait trop absurde. » Il souffla sur le souvenir de
Schlemer et faillit éteindre en même temps ses bougies.
L'image de Schlemer s'évanouit dans les ténèbres ora-
geuses.

Parvenu dans sa chambre, Patrice Périot posa le
candélabre sur la table et laissa la fenêtre ouverte, en
sorte que les bougies commencèrent de danser et de
palpiter. Il s'assit devant son bureau, tira du buvard
une grande feuille de papier vierge et trempa la plume
dans l'encre.

Un long moment passa. Patrice, le menton dans sa
paume gauche, réfléchissait. Il n'était pas pressé. Il
avait toute la nuit devant lui. Il formait soudain des
pensées très humbles et très précises. « Non! disait-il,
même avec un texte de nature à neutraliser les soup-
çons des imbéciles, non, pas le revolver. C'est bruyant
et malpropre : on peut saigner. On peut même se manquer. J'ai souvenir de ce malheureux Hallop qui avait
un énorme trou dans la mâchoire supérieure et qui parlait par ce trou, ignominieusement, et qui, surtout
ne voulait pas recommencer l'expérience, parce qu'il
avait beaucoup souffert, ce qui est lamentable. Non!
pas le revolver. Et non plus la... la... la noyade, comme
mon pauvre enfant... Ah! non! quelles conclusions
tireraient de là tous les imbéciles? Non! Et pas le
quatrième étage. Mes petits-enfants regarderaient cela,
du balcon, de l'autre côté de la rue. Alors, le toxique,
le toxique puissant, bien choisi, sûr, réservé depuis

longtemps. Et, naturellement, l'injection intraveineuse. Une heure de sommeil. Une heure de coma. Et la délivrance... »

Ainsi rêvant, il avait ouvert le tiroir de la vieille table et pris deux petites boîtes dont il connaissait évidemment la place, car il les saisit sans les regarder et les posa sur la table, à sa droite. L'une était métallique et devait contenir une seringue avec ses aiguilles. Il était, lui, l'homme de laboratoire, rompu à toutes les pratiques de cette sorte. L'autre ne portait pas d'étiquettes; elle était réservée aux ampoules de liqueur.

L'orage maintenant, passait en grondant sur la vallée. On entendait crier les grands arbres et le moindre brin d'herbe soupirait de terreur au sein du tumulte. Parfois le bruit de la foudre suivait l'éclair de si près que Patrice Périot, pour détaché qu'il se sentît de la vie, ne pouvait s'empêcher de penser que le feu du ciel venait de tomber très près, sur le village, sur les arbres. Il ne se trompait pas, car il aperçut une lueur étrange, dramatique : l'un des grands peupliers qui fermaient le fond du pré fumait, d'une fumée rose et l'on entendait, de la maison, craquer les branches, A ce moment une pluie diluvienne, verticale, pesante, se prit à tomber.

Patrice, immobile, assis devant la feuille blanche, persévérait dans sa rêverie sans issue. Quelques moments passèrent encore et Patrice Périot entendit — mais c'était un bruit presque insensible, — la porte s'ouvrir, derrière lui. Il ne fit pas un mouvement.

Une minute encore s'écoula. Puis il sentit, à sa droite une présence humaine et il dit, à mi-voix :

« Tu es inquiet, mon garçon?

— Non, non, répondit Thierry d'une voix enjouée, libre, parfaitement tranquille. Mais j'étais en train de lire et j'ai trouvé soudain, dans ce livre, une phrase qui m'a remué. Alors, j'ai pensé que tu ne dormais pas et je suis venu te parler de cette phrase.

— Ah! vraiment? demanda Patrice Périot sans tourner la tête, sans quitter de l'œil la feuille blanche devant lui. Et qu'as-tu lu dans ce livre?

— C'est un écrit de Louis de Broglie. Il dit, ce savant, que les progrès de la physique pourraient se trouver suspendus parce que... parce que nous allons manquer de mots et d'images.

— Oui... Oui... murmura Patrice Périot. Même dans la science des physiciens, il y a une sombre et inquiétante poésie. Pour s'exprimer, cette poésie a besoin, comme l'autre, de métaphores, d'illuminations, d'éclairs, de vocables frappants qui sont, eux aussi, créateurs. Les idées créent les mots et les mots créent les idées.

— C'est cela, c'est cela, fit le garçon en levant au ciel une main qui serrait un livre. Tu vois que j'ai bien fait de venir te demander assistance. Tu m'as lancé dans les études scientifiques, et voilà qu'elles m'intéressent et qu'elles m'enchantent.

— Attention! Attention! murmura Patrice Périot. Je t'ai conseillé d'étudier les sciences et, d'abord, les sciences mathématiques et physiques, parce que je ne te voyais pas lancé dans la science juridique, par exemple, dont nous n'avons aucune idée, nous de la famille. Mais si je pensais, si je devais penser qu'un mot malheureux ou maladroit — je ne pense assurément pas à ce que tu viens de lire et qui est admirable — si je pensais qu'un mot malencontreux pût te faire perdre ce que tu possèdes, alors, je ne me le pardonnerais pas, même cette nuit.

— Ce que je possède?

— Oui, oui : la certitude, la foi!

— Oh! il n'y a rien à craindre!

— Mon enfant, tu ne peux savoir comme tu viens de me soulager par cette protestation, par ce cri.

— Je suis venu te voir, papa, dans ce bruit de l'orage, parce que j'ai si grand besoin de toi, dès que je touche aux idées, à la connaissance immense et terrible.

— Besoin de moi! Mais, Thierry, je me demande qui, de nous deux, a le plus grand besoin de l'autre. Vois-tu, mon garçon... »

Patrice Périot fut interrompu par un long et fracassant coup de tonnerre. L'orage, pourtant, s'éloignait, maintenant, vers Beaumont et les forêts. Le bruit de la pluie faisait penser au déluge, à quelque phénomène cosmique, à la genèse des Écritures.

« Vois-tu, mon garçon, reprit le vieil homme, nous autres, les hommes de ma génération, nous avons échoué. Nous avons consacré notre vie à une forme de la raison qui n'est pas la raison, à cette intelligence qui donne la puissance mais qui ne donne pas la paix. Et nous souffrons. Vous, oui, vous, nos enfants, vous retrouverez peut-être la voie de l'espérance.

— Moi, dit Thierry, avec une belle lueur bleue dans son œil que la flamme sautante des bougies éclairait par sursaut, moi, papa, je suis un jeune homme et un ignorant. Mais je pense qu'il y a quelque chose de grand à faire, oui, quelque chose de nécessaire pour le monde et que c'est toi qui le feras.

— Moi, mon garçon? Je suis trop éprouvé, trop triste.

— Oui, toi, parce que, justement, tu as souffert. Il faut réconcilier la raison et le mystère. Je m'exprime très mal, mais tu comprends mieux que personne ce que je veux dire. Le rationnel pur! Il me semble que je le comprends, tout en le redoutant : il conduit l'homme au désespoir, il ne permet pas de vivre. Il faut réconcilier l'intelligence avec la vie, la raison avec la joie. Et c'est toi qui feras cela. Et moi, moi, qui ne sais rien, moi, je t'aiderai. Je serai ton serviteur et ton compagnon. Oui, oui! Je t'aiderai!

— Non, mon garçon, tu me remplaceras peut-être.

— Non! je ne veux que t'aider et t'aimer. »

A ce moment, un violent souffle d'air pénétra dans la chambre, chargé d'odeurs si puissantes que Thierry se leva d'un bond.

« Oh! papa! cria-t-il, comme cela sent bon! qu'est-ce que c'est que cette odeur?

— C'est le chèvrefeuille, Thierry. Il donne, le soir venu, le meilleur de son parfum. »

Patrice Périot s'était levé. Il alla jusqu'à la fenêtre et longuement, par grandes inspirations, il huma la senteur des frondaisons et des fleurs.

« Oui, dit-il, c'est le chèvrefeuille. »

Il revint s'asseoir à sa table et resta silencieux un moment, puis il posa les mains sur la feuille blanche et vit, à ce moment-là, que les deux petites boîtes qu'il avait prises dans le tiroir et posées près de lui venaient de disparaître, mystérieusement. Alors il se retourna vers Thierry et le regarda un moment, en silence. Le jeune garçon était tout à fait calme, sûr de cette force qui le soulevait et rayonnait dans son regard.

Patrice Périot comprit alors que les délices du néant ne lui seraient pas données tout de suite, qu'il devrait peut-être les attendre longtemps encore, et seulement des bonnes grâces de la vie. Il comprit qu'il lui faudrait persévérer dans l'angoisse et l'affliction jusqu'à l'heure du destin, persévérer dans l'amour et même dans l'espérance.

IMPRIMÉ EN FRANCE PAR BRODARD ET TAUPIN
6, place d'Alleray - Paris.
Usine de La Flèche, le 10-06-1969.
1462-5 - Dépôt légal n° 8414, 2ᵉ trimestre 1969.
LE LIVRE DE POCHE - 6, avenue Pierre 1ᵉʳ de Serbie - Paris.
30 - 11 - 2601 - 01